D0282129

LA SUISSE
LAVE PLUS BLANC

Du même auteur

La Contre-Révolution en Afrique
Payot, 1963, épuisé

Sociologie de la nouvelle Afrique
Gallimard, coll. « Idées », 1964, épuisé

Sociologie et Contestation
essai sur la société mythique
Gallimard, coll. « Idées », 1969

Le Pouvoir africain
Éd. du Seuil, coll. « Esprit », 1973 ;
coll. « Points », nouv. éd. revue et augmentée, 1979

Les Vivants et la Mort
essai de sociologie
Éd. du Seuil, coll. « Esprit », 1975 ;
coll. « Points », nouv. éd. revue et augmentée, 1978

Une Suisse au-dessus de tout soupçon
(en collab. avec Délia Castelnuovo-Frigessi,
Heinz Hollenstein, Rudolph H. Strahm)
Éd. du Seuil, coll. « Combats », 1976 ;
coll. « Points Actuels », nouv. éd., 1977

Main basse sur l'Afrique
Éd. du Seuil, coll. « Combats », 1978 ;
coll. « Points Actuels », nouv. éd. revue et augmentée, 1980

Retournez les fusils !
Manuel de sociologie d'opposition
Éd. du Seuil, coll. « L'Histoire immédiate », 1980 ;
coll. « Points Politique », 1981

Contre l'ordre du monde : les Rebelles
(mouvements armés de libération nationale)
Éd. du Seuil, coll. « L'Histoire immédiate », 1983 ;
coll. « Points Politique », 1985

Vive le pouvoir !
ou les Délices de la raison d'État
Éd. du Seuil, 1985

La Victoire des vaincus
Oppression et résistance culturelle
Éd. du Seuil, coll. « L'Histoire immédiate », 1988

JEAN ZIEGLER

LA SUISSE
LAVE
PLUS BLANC

ÉDITIONS DU SEUIL
27, rue Jacob, Paris VI

Ce livre a été édité sous la direction
d'Olivier Bétourné.

ISBN 2-02-011597-2.

© ÉDITIONS DU SEUIL, FÉVRIER 1990.

La loi du 11 mars 1957 interdit les copies ou reproductions destinées à une utilisation
collective. Toute représentation ou reproduction intégrale ou partielle faite par quelque
procédé que ce soit, sans le consentement de l'auteur ou de ses ayants cause, est illicite et
constitue une contrefaçon sanctionnée par les articles 425 et suivants du Code pénal.

332. 1
Z 66s

Ce livre est dédié à la mémoire de trois amis :

Michael Harrington, président des Democratic Socialists of America, mort à Larchmont, en août 1989.

Bernt Carlsson, haut-commissaire des Nations unies pour la Namibie, assassiné en décembre 1988.

Ignacio Ellacuria, jésuite, recteur de l'Université centraméricaine, assassiné par les escadrons de la mort de l'armée salvadorienne, le 16 novembre 1989 à El Salvador.

Remerciements

Anne Cudet, aidée d'Arlette Sallin, a assuré la mise au net et la dactylographie de mon travail. Dominique de Libera a bien voulu se charger de l'établissement du texte définitif.

Richard Labévière, Mireille Lemaresquier et Régis Debray ont discuté avec moi les principales thèses du livre.

Rudolf A. Strahm m'a fait bénéficier de son exceptionnelle connaissance des mouvements de capitaux et du monde bancaire helvétique.

Isabelle Bardet a coordonné les opérations éditoriales.

Plusieurs hauts fonctionnaires et d'autres personnes exerçant des responsabilités parfois importantes à l'intérieur ou à l'extérieur de l'administration ont partagé avec moi leurs informations, leurs craintes, leur révolte. Pour des raisons évidentes, je tairai leur nom.

Durant la dernière phase du travail, j'ai bénéficié de la collaboration exigeante d'Olivier Bétourné. Sans son amitié vigilante, ses conseils rigoureux, ses encouragements constants, je n'aurais pu mener ce projet à terme. Ce livre lui appartient autant qu'à moi.

A tous, je dis ici ma profonde et amicale gratitude.

*Qui répondrait en ce moment à la terrible obs-
tination du crime, si ce n'est l'obstination du
témoignage ?*

Albert Camus.

L'Émirat helvétique

Terre aux paysages stupéfiants de beauté, la Suisse a profondément façonné ma vision du monde, des hommes et de l'histoire. En tant que foyer du crime, elle constitue pour moi une énigme.

Sur notre planète, la Suisse est aujourd'hui la principale plaque tournante du blanchiment, du recyclage de l'argent de la mort. Pendant des générations, elle avait été le symbole de l'hygiène, de la santé, de la propreté. Elle est aujourd'hui un foyer d'infection. Dotées de gestionnaires, de financiers et d'avocats d'une admirable amoralité, les organisations multinationales de la drogue et du crime constituent pour les sociétés démocratiques des ennemis pratiquement invincibles. En ce sens, le cas helvétique est paradigmatique.

Comprendre la France contemporaine tient de la gageure. Saisir l'« être » de la Suisse relève de l'impossibilité. Je ne connais pas au monde une formation sociale plus ignorante d'elle-même, plus figée, plus secrète, plus ennemie de l'autocritique, plus farouchement décidée à organiser sa propre opacité que la Confédération suisse.

6,8 millions de personnes l'habitent. Les autochtones proviennent de quatre peuples différents, dont chacun, avec une obstination admirable, défend son ancestrale culture, sa langue, ses religions, ses coutumes, ses préjugés, ses rites. Outre ces 5,8 millions de citoyens, un million d'étrangers résident en Suisse[1].

Citoyens suisses et travailleurs étrangers peuplent un territoire qui s'étend de l'arc alpin aux hauts plateaux calcaires du Jura. Situé au carrefour de toutes les grandes civilisations du continent (hormis la scandinave et l'ibérique), il couvre une étendue de 42 295 kilomètres carrés, dont le tiers seulement est habitable.

Le pays le plus riche de la terre est la Fédération des Émirats arabes unis ; le second est la Suisse[2]. La matière première de la Fédération des Émirats arabes unis est le pétrole ; *celle de l'Émirat helvétique, l'argent d'autrui.* Sa monnaie est une des plus fortes, des plus stables du monde : en 1989, la Banque nationale suisse détient des réserves d'or de 2 590 tonnes, soit le troisième trésor mondial détenu par une banque centrale. Ce minuscule pays, qui ne couvre que 0,15 % des terres habitées de la planète, et dont la population ne représente que 0,03 % de la population du globe, joue dans le monde un rôle considérable : il est le deuxième marché monétaire de la planète, le premier marché de l'or, le premier marché mondial de la réassurance.

Récemment, sous une arcade de la ville médiévale de Berne, je croisais le visage bronzé, heureux de vivre et de régner, de l'exubérant conseiller national zurichois Peter Spaelti. L'homme est président-directeur général de la société Winterthur-Assurances. Euphorique, il me raconte le coup fantastique qu'il vient de réussir : sa société assume

---

1. Il s'agit essentiellement de travailleurs étrangers, dépourvus de tout droit civique. A Genève, par exemple, 51 % de la population active sont des étrangers.
2. Le critère de calcul retenu par la Banque mondiale est le revenu réel par tête d'habitant.

désormais la réassurance de la National Insurance Company of China. Plus de 1,2 milliard de Chinois réassurés par la minuscule Helvétie !

La dimension des cinq plus grandes banques helvétiques, leur réseau mondial, leurs capacités de placements sur la scène internationale donnent le vertige. Que pèsent-elles ? 483 milliards de francs suisses (près de 2 000 milliards de francs français) en 1988.

Leur force d'intervention sur les marchés mondiaux, leur compétitivité face aux autres empires financiers internationaux tiennent avant tout à l'étendue de leurs fonds propres. Chaque année, la revue internationale *Euromoney* dresse le palmarès des principales banques de la planète (celles qui disposent des fonds propres les plus importants). En 1988, l'Union de banques suisses (UBS), le Crédit suisse et la Société de banque suisse (SBS) occupent des places de choix parmi les vingt-cinq plus grandes banques du monde.

De gigantesques fleuves d'argent irriguent l'Émirat helvétique, déposant sur leurs rives d'énormes profits. La chambre de compensation de Zurich, qui régularise les mouvements interbancaires, traite chaque jour environ 100 milliards de francs suisses.

Les flots d'argent nourrissant les terres de l'Émirat charrient trois sortes de monnaie : l'*argent propre*, fruit des transactions normales et licites ; l'*argent gris*, produit de l'évasion fiscale des classes dirigeantes française, italienne, allemande, scandinave, ou fruit des détournements frauduleux pratiqués par nombre de dirigeants du tiers monde ; enfin, l'*argent noir* ou *argent sale*, de loin le plus important. Les émirs suisses accueillent chaque année — camouflent, « lavent » et réinvestissent — des milliards de dollars, butin des réseaux internationaux du trafic de la drogue, de l'armement et autres activités criminelles.

La loi du 8 novembre 1934 instituant le secret bancaire protège efficacement ces montagnes d'or, de devises, de titres du regard indiscret des fiscs étrangers, des gouvernements spoliés... et même parfois des ayants droit légitimes des créanciers. Exemple : des centaines de millions de dollars et de capitaux de toute sorte avaient, dès 1933, été déposés dans les banques suisses par les communautés, sociétés commerciales et familles juives de toute l'Europe. 6 millions de juifs ont été assassinés par les nazis. Environ 7 000 survivants (ou héritiers légitimes) ont exigé, après la guerre, la restitution de leurs avoirs. 961 d'entre eux ont obtenu satisfaction (si l'on peut dire) : l'Émirat leur a restitué 9,5 millions de francs suisses. Les sommes astronomiques restantes étant, selon la loi, réputées « sans créanciers connus », elles sont devenues propriété des banques suisses.

Selon la société fiduciaire américaine McKinsey, l'ensemble des fortunes privées gérées par les banques et établissements financiers suisses s'élève actuellement à 1 200 milliards de francs suisses. Cette fortune s'est accrue de 20 % durant les cinq dernières années : la moitié de l'accroissement provient des bénéfices réinvestis, et l'autre de l'apport de capitaux frais.

L'étude McKinsey indique la provenance des fonds : 40 à 45 % viennent d'Europe ; 25 % environ, de Suisse même ; 15 %, d'Amérique latine ; 10 %, des autres régions du monde.

En 1988, la position extérieure nette de la Suisse — soit le montant de son avoir à l'étranger — était de 124 milliards de francs suisses. En d'autres termes : par habitant, la fortune de la Suisse à l'étranger représente plus de 20 000 francs suisses[1].

---

1. Ses actifs à l'étranger étaient de 536 milliards ; ses passifs, de 412 milliards (chiffres in *Bulletin de la Banque nationale suisse*, 1989).

Ce chiffre dépasse même celui de la première nation industrielle d'Europe, la République fédérale d'Allemagne, dont l'excédent financier sur l'étranger n'est (en 1988) « que » de 185 milliards de francs suisses. Les investissements, créances bancaires, etc., suisses sont particulièrement impressionnants dans les pays d'Asie et d'Afrique, notamment en Afrique du Sud. Le Comité des sanctions des Nations unies (rapport de septembre 1989) constate sobrement que les crédits massifs et constamment renouvelés des grandes banques helvétiques fournissent à la tyrannie raciste de Pretoria un « précieux ballon d'oxygène ».

Les bénéfices nets cumulés des cinq principales banques suisses représentent aujourd'hui un montant de plus de 2 milliards de francs suisses, soit à peu près la somme que les pays du tiers monde ont dû rembourser à ces banques, en 1988, au titre du service de leurs dettes.

Je me souviens d'un après-midi de novembre dans la salle des commissions n° 86, au deuxième étage du palais fédéral. Par les hautes baies vitrées dues aux maîtres vitriers lombards qui, tout au long du xixᵉ siècle, avaient exercé leur art à Berne, une lumière laiteuse inondait les visages, les murs, les tables, les fauteuils.

A l'ordre du jour de la commission du Commerce extérieur du Conseil national : le refinancement de la dette extérieure du Brésil. Après le Mexique, le Brésil est aujourd'hui le pays le plus endetté du monde : 126 milliards de dollars au 31 décembre 1988. La dette étouffe la vie sociale et économique du pays. A chaque nouveau passage des corbeaux du Fonds monétaire international à Brasilia, des subventions sociales disparaissent, des centaines de dispensaires, d'écoles, de cantines populaires sont fermés. Dans les mégapoles de la côte atlantique, des enfants abandonnés, mendiants de tous âges, peuplent les trottoirs. Dans les cités rurales du Nord, dans tout l'immense sertão, dans les bidonvilles du Minas Gerais, le long des pistes de l'Amazonie, du Para, les *garimpeiros*, les *boia fria*[1] et leurs familles meurent lentement de faim. Le garrot de la dette assassine les familles les plus pauvres, les plus nombreuses du Brésil. En 1989, le service des intérêts et des amortissements de la dette absorberait — s'il était payé — une somme supérieure à la totalité des revenus des exportations brésiliennes.

Belle gueule de carnassier entre deux âges, nez puissant, lèvres fines, l'œil vert pétillant d'intelligence sous des mèches grises, Fritz Leutwiler, président de la Banque nationale suisse[2], débite ses chiffres brésiliens : investissements industriels et réserves monétaires de la Banque centrale en chute libre ; chômage permanent, inflation, mortalité infantile en hausse vertigineuse. Conclusion : il faut accorder un nouveau et important crédit au Brésil !

A côté de moi, un député thurgovien, paysan de son état et peu habitué aux pirouettes brillantes des maîtres (bancaires) du pays, demande la parole, toussote et dit, effaré : « Si je vous ai bien compris, le Brésil est pratiquement en faillite.

---

1. Le *garimpeiro* est le chercheur d'or ou de diamants qui travaille à son compte, dans la boue, la pluie, la chaleur torride. *Boia fria* désigne les journaliers agricoles semi-nomades qui « mangent froid ». A l'aube, ceux-ci se présentent sur la place du village ; le recruteur d'un grand propriétaire en sélectionne quelques-uns pour le travail d'un jour, d'une semaine, de trois mois. Leur salaire est dérisoire. Leurs femmes (mères, sœurs) préparent dans une gamelle le plat traditionnel : des haricots noirs, que leurs hommes mangeront froid.
2. Leutwiler est devenu entre-temps président de la deuxième société multinationale européenne de la métallurgie, ASEA-Brown-Boveri.

18

Pourquoi alors jeter dans ce gouffre de nouveaux millions de crédit ? »

Le carnassier superbe lève ses yeux verts sur l'ingénu. Avec la douceur des arrogants, il répond : « Cher monsieur, à Carajas, dans le Nord du pays, les plus fabuleux gisements d'uranium et de manganèse du continent viennent d'être découverts. Situés à deux pas de la mer, ils promettent des profits substantiels. Vous voyez : nous avons des gages. »

Le pirate avait parlé : le Brésil est au fond du gouffre, piétiné, pratiquement en cessation de paiement, exsangue ? Qu'à cela ne tienne ! Nous allons — violents et cyniques, tout-puissants et efficaces — révoquer sa souveraineté, violer son territoire et nous emparer des richesses qui nous sont dues ! Satisfaits et fiers, les commissaires votèrent le crédit. Seul le paysan thurgovien, vaguement inquiet de voter avec un abominable gauchiste, s'opposa avec moi à la décision de pillage des gisements de Carajas.

Dans l'empire suisse comme dans celui de Charles Quint, le soleil ne se couche jamais. Sa puissance se nourrit du recel des capitaux en fuite, mais aussi et surtout du blanchiment de l'argent de la drogue.

Cet argent corrompt les hommes et ruine leurs institutions.

Ce livre décrit l'infiltration du crime organisé dans une démocratie pluriséculaire. Il montre l'étendue du danger et propose quelques moyens pour le combattre.

J. Z.
Genève, décembre 1989.

PREMIÈRE PARTIE

Comme la peste, la drogue

1

Le cri d'alarme de François Mitterrand

Samedi 26 août 1989 : une nuit chaude descend sur l'Arche de La Défense et sur les quinze mille invités venus du monde entier, regroupés sur le perron. Des phares géants, des drapeaux projetant les trois couleurs de la République, trouent le crépuscule. La France fête le deux centième anniversaire de la proclamation des droits de l'homme.

François Mitterrand monte à la tribune : « La place de la Déclaration de 1789 dans l'histoire des hommes est telle qu'on peut prétendre qu'elle en a changé le cours. Elle annonçait l'aube des temps nouveaux, quels qu'aient été les déviations, oppressions et manquements ultérieurs. Elle demeurera inaltérable, gravée dans les mémoires, et le message qu'elle contient n'a rien perdu de sa force, au contraire il continue d'inspirer nombre de conventions et pactes internationaux. »

Brusquement, l'orateur interrompt sa fresque lyrique, historique. Il dresse le catalogue précis, presque monotone, des dangers qui menacent aujourd'hui la dignité de la personne humaine : « La puissance meurtrière des trafiquants de la drogue s'installe en pouvoir concurrent des États et prend rang dans les organisations internationales du crime. Organisons contre eux la protection de la personne humaine, atteinte dans ses défenses les plus intimes. Soyons solidaires de ceux qui sont en première ligne. [...] Il faut oser, penser et dire qu'aucun compromis n'est possible avec cette chaîne de corruption, avec ces agents de la mort[1]. »

Mardi 10 octobre 1989, à Caracas : François Mitterrand concrétise l'engagement international de la France. Avec le Venezuela, la France conclut un accord de coopération dans la lutte contre les trafiquants de drogue. Cet accord prévoit l'échange d'informations entre les deux pays sur le trafic et le blanchiment des profits ; une assistance technique fournie par la France pour la formation de spécialistes de la lutte anti-drogue et pour la surveillance des frontières. Une mission française comportant des policiers spécialisés dans la lutte contre les trafiquants et leurs financiers sera installée à Caracas[2]. Deux jours plus tard, à Quito, François Mitterrand signe un contrat avec l'Équateur : la France livrera à Quito du matériel radar, des systèmes de communication et d'identification sophistiqués qui permettront d'identifier les avions de la drogue qui empruntent de plus en plus souvent l'espace aérien équatorien[3].

Mitterrand se rend, le vendredi 13 octobre, à Bogota, alors secouée d'explosions de voitures piégées et de bombes. Il apporte son soutien personnel, celui de la France et de la CEE, à la croisade menée contre les trafiquants par le président colombien, Virgilio Barco.

---

1. François Mitterrand, discours inaugurant l'Arche de la fraternité, fondation consacrée à la défense des droits de l'homme, Paris, 26 août 1989, in *Le Monde*, 29 août 1989. Un mois et demi auparavant, les chefs d'État des sept pays industriels les plus puissants, réunis pour leur sommet annuel à Paris, décidaient, sur proposition de la France, de créer un groupe spécial pour lutter contre le blanchiment de l'argent de la drogue.
2. Cf. *Le Monde*, 12 octobre 1989.
3. Cf. *Libération*, 13 octobre 1989.

« Lavés » et investis selon des techniques procédant d'une exacte connaissance des circuits financiers et fiscaux du monde entier, les profits de la drogue représentent aujourd'hui un marché fantastique qui se chiffre à une somme se situant entre 300 et 500 milliards de dollars par an. Plusieurs experts renommés, dont M. Kendall, secrétaire général d'Interpol, penchent pour le second chiffre[1]. Cette somme équivaut à la totalité des dépenses annuelles du ministère de la Défense des États-Unis — ou encore : aux dépenses effectuées par tous les pays occidentaux durant une année pour leurs achats de pétrole. L'argent de la drogue, son cortège de violence, de chantage, de corruption menacent de *gangrène* les principales démocraties occidentales.

Les autorités américaines chiffrent à environ 15 millions le nombre des usagers réguliers de la cocaïne aux États-Unis. Quant aux héroïnomanes, ils sont, selon les mêmes sources, plus de 1,5 million sur le sol américain. Et l'Europe ? Aucun chiffre fiable n'est disponible pour ce qui concerne la cocaïne, l'explosion des ventes des trois dernières années ayant bouleversé les données statistiques. La Mission interministérielle française de lutte contre la toxicomanie estime à plus de 700 000 le nombre d'héroïnomanes en Europe.

Un récent calcul portant sur la cocaïne colombienne, effectué par la Drug Enforcement Administration (DEA) de Washington, permet de comprendre la genèse de ces fortunes.

Printemps 1989 : dans les rues de New York, le kilo de cocaïne (pure à 45 %) est vendu aux consommateurs ou petits

---

1. M. Kendall, cité dans *Économie Magazine*, Paris, novembre 1989, p. 21.

revendeurs au prix de 80 000 à 120 000 dollars. La pâte de cocaïne-base — appelée la *pasta* — provient essentiellement du Pérou, de Bolivie et, dans une moindre mesure, de l'Amazonie colombienne. Ce sont principalement les laboratoires colombiens qui transforment cette pâte en hydrochlorate de cocaïne. La fabrication d'un kilo de pâte exige la production d'une quantité très élevée de feuilles de coca. Mais le paysan (colombien, bolivien, péruvien) qui cultive la feuille de coca n'obtient que 150 à 200 dollars pour la quantité de feuilles nécessaires à la fabrication d'un kilo de pâte[1].

Où se réalisent les profits astronomiques ? Le semi-grossiste, qui livre aux revendeurs de New York, touche une commission de 20 000 à 40 000 dollars. Il travaille dans le pays consommateur même, où la surveillance, la répression, et donc les peines encourues, sont les plus lourdes. Il assume les risques les plus importants : il est payé en conséquence.

Le grossiste-exportateur, qui achemine la drogue de Colombie (du Panama, de Bolivie, du Pérou) sur le territoire américain, touche, par kilo transporté, entre 4 200 et 6 000 dollars, tous frais déduits. Quant au laboratoire qui fabrique la drogue et la livre au grossiste-exportateur, il vend le kilo à un prix variant de 2 000 à 3 200 dollars.

Chacune des phases de ces opérations de production, de raffinage, d'écoulement de la cocaïne — et chacune des phases du recyclage bancaire du profit réalisé par chacun des acteurs — est généralement contrôlée par les barons d'une même organisation. Le profit encaissé par ces barons est considérable. Revenons à l'opération susmentionnée : dans l'hypothèse la plus basse, les parrains encaissent 53 650 dol-

---

1. Selon les estimations de la DEA, le Pérou récolte chaque année environ 800 000 tonnes de feuilles de coca ; la Bolivie, environ 200 000 tonnes (cf. *Der Spiegel*, 4 septembre 1989).

lars par kilo de drogue vendu à New York. Or, ils en vendent chaque année, dans cette seule ville, des centaines de kilos. La DEA estime à 2 milliards de dollars au minimum la fortune personnelle de chacun des cinq principaux parrains du cartel de Medellin. Prenons l'exemple de Pablo Escobar Gaviria. Si Escobar avait placé l'ensemble de sa fortune en bons du Trésor américain — titres traditionnels, à rendement faible et ne comportant aucun risque —, il aurait réalisé, en 1988, un bénéfice net de 200 millions de dollars, soit le résultat d'une entreprise comme Thomson[1].

La Confédération helvétique est aujourd'hui la principale plaque tournante des milliards de la drogue.

Plusieurs raisons expliquent sa situation « privilégiée » :

1. Pendant huit ans, de 1981 à 1988, l'administration de Ronald Reagan a fait de la lutte planétaire contre l'héroïne, la cocaïne, le crack, etc., un axe essentiel de sa politique extérieure (et intérieure). Un à un, les habituels marchés financiers — Panama, Bermuda, Curaçao, Caïman, notamment — du blanchiment de l'argent de la drogue ont été mis sous contrôle. Les parrains des réseaux les plus importants se sont donc rabattus sur la Suisse.

2. Deuxième marché de l'argent, premier marché de l'or du monde, la Suisse possède un système bancaire ancien et hautement performant. Ses empires disposent de succursales dans le monde entier. La discrétion, l'efficacité, l'amoralité totale, l'ardeur au travail des émirs helvétiques sont proverbiales.

3. La loi fédérale sur les banques et les caisses d'épargne stipule dans son article 47 : « Celui qui, en sa qualité de

---

1. L'enquête de la DEA sur la formation des prix de la cocaïne (et l'estimation de la fortune des principaux barons colombiens) a été publiée par *Libération*, 28 août 1989.

membre d'un organe, d'employé mandataire, de liquidateur ou de commissaire de la banque, d'observateur de la Commission des banques, ou encore de membre d'un organe ou d'employé d'une institution de révision agréée, aura révélé un secret à lui confié ou dont il avait eu connaissance en raison de sa charge ou de son emploi, celui qui aura incité autrui à violer le secret professionnel, sera puni de l'emprisonnement pour six mois au plus ou de l'amende jusqu'à concurrence de 50 000 francs. Si le délinquant a agi par négligence, la peine sera l'amende jusqu'à concurrence de 30 000 francs. La violation du secret demeure punissable alors même que la charge ou l'emploi a pris fin ou que le détenteur du secret n'exerce plus sa profession. »

Le secret bancaire est la loi suprême du pays. Dans les caves d'Ali Baba des grandes banques multinationales privées de Zurich, de Genève, de Bâle, de Lugano, l'argent de la drogue disparaît à jamais ; il change d'identité sans laisser la moindre trace ; il réapparaît « blanchi », « propre », respectable, au-dessus de tout soupçon, sur les marchés immobiliers de Paris ou de New York ; il « travaille » dans les Bourses de Tokyo, de Londres, de Chicago ; il figure sous forme de crédits à long terme dans les bilans de respectables entreprises new-yorkaises.

4. Aux États-Unis, quiconque se présente à un guichet bancaire avec, en main, une somme supérieure à 10 000 dollars doit prouver l'origine légale de cette somme. Fort heureusement, la Suisse ne connaît pas de telles mesquineries ! La Suisse est le pays de la libre convertibilité. Les milliards les plus douteux entrent et sortent du pays, passent et repassent la frontière (en billets gros et petits, en chèques, sous forme de devises du monde entier, etc.) sans que personne pose jamais la moindre question.

5. Contrairement à tous les autres États civilisés, la Suisse — receleuse depuis des siècles de tout l'argent douteux de la planète — ne connaît aucune loi qui interdirait l'entrée, la sortie, le blanchiment, le réinvestissement des capitaux de la drogue. La revue *Économie Magazine* constate sobrement : « Les banques suisses recyclent les narco-dollars sans se poser de problèmes. *Business is business*[1]. »

Une précision toutefois : à la suite des scandales des années 1988 et 1989, et sous la pression des États-Unis, de la France et de la Communauté économique européenne, le Conseil fédéral a récemment soumis au Parlement un projet de loi concernant le blanchiment de l'argent de la drogue. Mais, nous le verrons, la loi proposée est tellement vague et approximative qu'elle ne gênera en rien les agents de la mort[2].

---

1. *Économie Magazine*, numéro cité, p. 24.
2. Pour l'analyse de ce projet de loi et des débats parlementaires qu'il provoque, cf. p. 89 *sq*.

La chute de la maison Kopp

Le riche porte la loi dans sa bourse.
Jean-Jacques Rousseau.

27 octobre 1988 : une dame menue et élégante de cinquante et un ans, douée d'une intelligence brillante, d'une volonté peu commune, d'une capacité de travail légendaire, fille d'un ancien directeur général de la Banque nationale, entre dans son bureau vaste et austère du premier étage du palais fédéral, à Berne. Son nom : Elisabeth Kopp. Sa fonction : ministre de la Justice de la Confédération.

Morale protestante oblige : comme la plupart des autres dirigeants industriels et bancaires de cet étrange pays, les ministres de la Confédération ont coutume d'arriver à leur bureau aux aurores, bien avant leurs collaborateurs.

Ce matin-là, Elisabeth Kopp est attendue. Katharina Schoop, sa conseillère personnelle, lui tend une note : le procureur général du Sopraceneri (région septentrionale du canton du Tessin), Dick Marty, vient d'ouvrir une enquête dans une affaire internationale de drogue et de blanchiment d'argent contre les frères libanais Jean et Barkev Magharian[1].

---

1. Les 26 États membres de la Confédération détiennent la souveraineté judiciaire (autorité de jugement, police judiciaire, etc.). Le ministère fédéral de la Justice n'exerce que les compétences liées à la protection de l'État

Dans son dossier figure le nom d'une société financière de Zurich, la Shakarchi Trading SA. Mohammed Shakarchi, son propriétaire, est né à Mosul, au nord de l'Irak, en 1939. Sunnite croyant, il a longtemps vécu à Beyrouth. Aujourd'hui, sa principale base d'opération est Zurich. Son demi-frère possède une raffinerie d'or au Tessin. D'autres membres du clan sont implantés à Genève.

La décision de Dick Marty est l'aboutissement d'une longue histoire, dont voici les principaux épisodes.

Le 21 février 1987, sur un parking près de la ville de Bellinzona (située en Suisse méridionale), des inspecteurs de la police tessinoise interceptent un camion turc de type TIR, plombé.

Manifestement, le commando de la police tessinoise sait ce qu'il va trouver. Il exige des convoyeurs qu'ils fassent eux-mêmes sauter le plombage, les transports de drogue étant très souvent piégés par un mécanisme électronique. Dans la carrosserie du camion, les policiers découvrent 80 kilos de morphine-base et 20 kilos d'héroïne pure.

Le chargement appartient à Haci Mirza, citoyen turc. C'est un homme massif, dans la cinquantaine, à la barbe grisonnante et aux yeux de braise. Avec sa distinction empruntée, ses paupières lourdes, Mirza ressemble à un pope grec. Installé avec sa famille, depuis 1979, à Zurich, il est officiellement marchand de pamplemousses. Il est également marchand de devises et d'or. A ce titre, il a été en relations d'affaires avec la Shakarchi.

fédéral (espionnage, contre-espionnage, police politique) et des fonctions de coordination entre les enquêtes cantonales.

Mirza est un excellent client des émirs. A l'Union de banques suisses, il dispose par exemple d'un compte de 3 millions de dollars. Aux enquêteurs, il déclarera que ce compte est alimenté par ses « économies personnelles », tirées du commerce de pamplemousses. A son invitation, deux dirigeants bancaires zurichois viennent de passer leurs vacances sur les bords du Bosphore[1].

Parti de Turquie, le camion malencontreusement intercepté a emprunté le parcours habituel. Des fonctionnaires des services secrets bulgares l'ayant plombé le plus officiellement du monde (et muni de papiers parfaitement légaux) à Sofia, il a pénétré en Suisse sans encombre. Destiné à une bande de la mafia italienne, le chargement devait être réceptionné à Lugano. Peu après l'interception du camion, un autre commando de la police tessinoise, assisté d'agents de la DEA américaine, tend une souricière à l'hôtel Excelsior de Lugano. Il y arrête Haci Mirza et deux envoyés de la mafia lombarde, Nicola Giuletti et Gaetano Petraglia. Giuletti porte sur lui le numéro de téléphone de deux financiers internationaux de nationalité libanaise, Barkev et Jean Magharian.

Dick Marty vient de mettre la main sur l'un des plus importants réseaux du trafic international de la drogue, le réseau dit « turco-libanais ».

Comment s'explique l'interception du camion à Bellinzona ? Un agent de la DEA des États-Unis, au courage suicidaire, avait réussi à infiltrer le réseau turco-libanais. On ne connaîtra jamais son identité. Lors du procès qui s'ouvrira devant la cour d'assises de Bellinzona le lundi 10 avril 1989, la taupe américaine ne sera identifiée que sous son nom d'emprunt : Sam le Blond.

1. Cf. *L'Hebdo*, Lausanne, n° 15, décembre 1988.

Les frères Magharian seront arrêtés à Zurich le 7 juillet 1988, à la demande du procureur du Sopraceneri, Dick Marty. Les deux frères se ressemblent : tignasse noire (plus abondante chez l'un que chez l'autre), regard inexpressif, traits empâtés, gestes lents. Selon Dick Marty, il s'agit de deux des financiers les plus rusés, les plus puissants, les plus cyniques du trafic international de la drogue. Ils ont, dans le passé, travaillé avec la Shakarchi, avant de se brouiller avec elle.

Leur banque attitrée est le Crédit suisse, deuxième banque du pays. De mars 1985 à juillet 1988, Barkev Magharian, puis la société Magharian Frères de Beyrouth, livrent en billets de banque au Crédit suisse une contre-valeur de 1,4 milliard de francs suisses. Le rapport d'enquête de la Commission fédérale des banques (organe de surveillance des banques en Suisse) précise : « Plus des deux tiers des capitaux provenant des livraisons de billets de banque des frères Magharian ont été transférés pour bonifications alors qu'environ un tiers étaient utilisés pour des achats de métaux précieux par les frères Magharian. Les virements à des tiers ont principalement été effectués en deutschemarks et en dollars auprès de plus de trois cents différentes banques, ou comptoirs bancaires, en Suisse et à l'étranger, en Turquie pour la plus grande partie. A l'inverse, les comptes des frères Magharian ont été crédités à nouveau essentiellement en dollars et en deutschemarks par les opérations de virements provenant d'environ septante banques suisses et étrangères. S'agissant du commerce des billets de banque, les frères Magharian étaient des clients très importants pour le Crédit suisse[1]. »

1. Rapport établi par Daniel Zuberbühler, directeur suppléant du secrétariat de la Commission fédérale des banques, remis au Conseil fédéral, Berne, 1989.

600 autres millions de francs suisses seront lavés par les frères Magharian dans d'autres banques suisses. Exemple : l'Union de banques suisses, premier empire bancaire multinational helvétique. Celle-ci ne prendra livraison que de 87 millions en billets. Mais vendra aux Magharian 960 kilos d'or contre paiement comptant. Et créditera les comptes des Magharian ouverts à son siège de 130 millions de francs suisses.

Comment procèdent les frères Magharian ? Deux ou trois fois par semaine, ils apportent au Crédit suisse (et dans les autres banques) des valises remplies de devises du monde entier, essentiellement des dollars américains. Mais les trafiquants, même turco-libanais, ne sont pas devins ! Il arrive donc fréquemment que des sous-traitants paient les frères Magharian en faux billets. Qu'à cela ne tienne ! Au lieu d'alerter la police comme l'exige la loi, les distingués directeurs du Crédit suisse se contentent alors de rendre aux Magharian la monnaie de singe.

Les frères Magharian n'ont ni permis de séjour ni domicile fixe en Suisse ; ils résident à l'hôtel. Ils ne prendront même pas la peine d'organiser une façade commerciale, une raison sociale factice ! C'est la direction du Crédit suisse qui, finalement, leur suggérera de créer une société à Beyrouth (une autre sera créée au Tessin). Autre détail pittoresque : la direction du Crédit suisse intervient auprès des ambassades suisses à l'étranger afin qu'elles facilitent les déplacements des convoyeurs des Magharian. Exemple : dans un télex du 7 septembre 1987, le Crédit suisse, par le biais de son *Middle East Department*, rappelle à l'ambassade suisse de Sofia que Walid Abdul-Rhaman Alayli travaille pour les frères Magharian et recommande un second « employé » des Magharian, Issam Mukhtar Kaissi, un Libanais de vingt-quatre ans[1].

1. Cf. *Tribune de Genève*, 3 mars 1989.

Interrogés par les enquêteurs de la Commission fédérale des banques, les directeurs du Crédit suisse de Zurich répondront qu'ils s'étaient enquis de l'honorabilité des frères Magharian mais n'avaient rien trouvé de rédhibitoire, ces derniers ayant simplement expliqué qu'ils étaient engagés dans un trafic de devises entre la Turquie, la Bulgarie et la Suisse.

Les comptes numérotés des frères Magharian au Crédit suisse, à l'Union de banques suisses ne servent que de transit. Grâce aux philanthropes du Paradeplatz[1], l'argent de la mort change d'identité sans difficulté. Les sommes astronomiques déposées sur les comptes numérotés des frères Magharian partent presque immédiatement vers d'autres cieux. Avec cet argent devenu « propre », les Magharian achètent de l'or, des valeurs diverses, qui, à leur tour, prennent le chemin d'Istanbul ou de Beyrouth.

Au moment où j'écris ces lignes, la bataille judiciaire fait rage : les principaux acteurs du scandale se défendent comme de beaux diables, attaquant des journalistes, la télévision, clamant leur innocence ou plaidant leur émouvante ignorance. 20 novembre 1989 : la Shakarchi Trading SA demande aux trois chaînes de télévision suisse la modique somme de 4 millions de francs suisses en dommages et intérêts.

Une mise au point juridique s'impose : au moment des faits, le blanchiment des profits de la mort par des banques, sociétés financières et autres institutions n'était pas punissable. Le Crédit suisse, l'Union de banques suisses et les autres lavoirs des Magharian ne se sont donc rendus coupables d'aucun délit. En outre, ils proclament leur bonne foi. D'ailleurs, seule une partie des sommes astronomiques lavées

1. La toponymie de Zurich est pleine d'involontaire ironie : les façades des trois plus grandes banques donnent sur le Paradeplatz, la « place de la Parade ».

par les Magharian au Crédit suisse, à l'Union de banques suisses et dans les autres banques a été juridiquement identifiée comme provenant du trafic de la drogue.

Je cite la Commission fédérale des banques : « Il en ressort en particulier la preuve qu'au cours de l'année 1986, les frères Magharian ont réceptionné à Zurich, de la part des courriers d'un intermédiaire arménien, au total 36 millions de dollars en diverses coupures provenant des États-Unis. Ces fonds provenaient du trafic de cocaïne d'une bande colombienne. Ils furent versés par les Magharian sur leurs comptes auprès du Crédit suisse et de l'Union de banques suisses, et, en grande partie, immédiatement transférés vers des banques au Panama. Ce transport d'argent de la drogue fut abandonné après que la police de l'aéroport de Los Angeles eut découvert, le 27 novembre 1986, que trois valises destinées aux frères Magharian contenaient plus de 2 millions de dollars. Ce n'est que par crainte d'un attentat à la bombe que ces valises avaient été contrôlées. Les Magharian prétendent qu'ils n'ont appris qu'après cette affaire de leur intermédiaire qu'il s'agissait d'argent provenant de la drogue. »

Haci Mirza purge actuellement une peine de dix-sept ans au pénitencier La Stampa près de Lugano. Sont incarcérés avec lui les convoyeurs turcs et ses complices de la mafia italienne.

Aucune enquête judiciaire n'est actuellement ouverte contre l'une ou l'autre des banques suisses liées aux Magharian. Rien non plus contre la Shakarchi Trading SA. La société est simplement mentionnée dans le rapport d'enquête du procureur du Sopraceneri, Dick Marty, sur les frères Magharian. La défense de Mohammed Shakarchi est imparable : « Si de 100 dollars que je traite, 10 proviennent du trafic de la drogue, comment voulez-vous que je les reconnaisse[1] ? » Le nom de la Shakarchi avait déjà été mentionné dans une autre affaire internationale de trafic de drogue : la « Pizza Connection ». Novembre 1989 : une commission d'enquête parlementaire révèle qu'en septembre 1972 Mahmoud Shakarchi, père de Mohammed, dépose auprès de la Société de banque suisse des liasses de billets de banque qui proviennent de la rançon payée à un groupe terroriste moyen-oriental à la suite d'un détournement d'avion. Août 1979 : les autorités apprennent que Mohammed Shakarchi a déposé auprès d'une banque étrangère une somme importante en billets de banque, fruit d'une rançon versée après un enlèvement. Il est établi que Shakarchi fils connaissait le nom, l'identité, des personnes qui lui avaient remis cet argent. La commission d'enquête parlementaire consacre à la seule Shakarchi dix pages de son rapport. La société dispose d'une puissance considérable : certains jours, son chiffre d'affaires (journalier) varie entre 25 et 100 millions de dollars[2].

La Shakarchi Trading SA bénéficie depuis des années de faveurs tout à fait étonnantes. La commission d'enquête parlementaire indique que les courriers de la Shakarchi jouissent d'autorisations spéciales leur donnant un accès direct à la zone de transit et, en partie, à celle du *tarmac* de l'aéroport intercontinental de Zurich-Kloten ; grâce à l'exquise compréhension de la police de l'aéroport, ces courriers évitent journellement les inutiles tracasseries de la police des frontières.

Autre fait surprenant : en septembre 1988, Jacques-André Kaeslin, enquêteur de la section antidrogue de l'Office du procureur de la Confédération, demande à ses supérieurs

1. Mohammed Shakarchi, interrogé par la revue *Bilanz*, juillet 1989, p. 46.
2. Catherine Duttweiler, *Kopp und Kopp, Aufstieg und Fall der ersten Bundesraetin*, Zurich, Edition Die Weltwoche, 1989, p. 170.

l'autorisation d'ouvrir une enquête judiciaire contre la Shakarchi. Autorisation refusée. Kaeslin, disposant d'indices, de
documents, de moyens de preuves qui lui paraissent parfaitement suffisants, revient à la charge. Par trois fois. Nouveaux
refus. Le blâme que lui infligeront ses supérieurs brisera net
sa carrière administrative.

La situation des frères Magharian est tout autre. En effet,
si le blanchiment intentionnel de l'argent de la drogue n'est
pas punissable jusqu'en 1990, le financier qui réintroduit
l'argent lavé dans le circuit du trafic pour acheter, transpor-
ter, raffiner, commercialiser de la drogue tombe sous le coup
de la loi sur les stupéfiants. C'est le cas des Magharian pour
les sommes lavées au Crédit suisse et réexpédiées sur leurs
comptes au Panama. Les Magharian sont également inculpés
dans une ténébreuse affaire d'escroquerie.

Mais ni Barkev ni Jean Magharian ne sont encore condamnés : incarcérés, ils attendent leur procès, qui, en principe,
doit se tenir au premier semestre 1990.

En fait, la situation juridique des frères Jean et Barkev
Magharian est compliquée. Arrêtés dans un grand hôtel de
Zurich le 7 juillet 1988 sur mandat du procureur du Sopraceneri, ils ont été transférés au Tessin et incarcérés au pénitencier de ce canton. Leur détention a été prolongée par deux
fois. Le 27 octobre 1989, la Cour de cassation pénale du Tribunal fédéral statue sur un recours des Magharian, préten-
dant que les opérations financières qui leur sont reprochées
ne sont pas punissables par la loi suisse. Le Tribunal fédéral
rejette le recours.

Aux États-Unis, les frères Magharian sont poursuivis pour
trafic de cocaïne (le 10 mars 1989, un juge new-yorkais avait
lancé un mandat d'arrêt contre eux). Même si le procureur du
Sopraceneri échouait dans sa tentative de faire condamner les

Magharian, ceux-ci ne seraient pas libérés pour autant : l'Office fédéral de police (suisse) ayant annoncé qu'il reconnaissait la validité de la procédure new-yorkaise, les frères seraient placés en détention extraditionnelle provisoire en attendant la demande d'extradition américaine[1].

Dick Marty, qui, depuis ces événements, a démissionné de son poste de procureur du Sopraceneri et quitté la magistrature, sait qu'il n'a fait qu'égratigner le réseau turco-libanais. Malgré son formidable travail (et celui de ses proches et courageux collaborateurs), des personnages essentiels restent dans l'ombre. Désabusé, il constate : « En Suisse, plus un gangster est un gangster, plus il a des chances de ne pas être inquiété. Nous ne sommes pas équipés contre le crime organisé. Ni mentalement ni techniquement[2]. »

Parcourant rapidement la note que sa collaboratrice lui tend, Elisabeth Kopp, juriste avertie et épouse aimante, blêmit. Elle prend son téléphone et appelle son mari, avocat à la Kurhausstrasse 28 à Zurich : Hans W. Kopp, époux de ministre et avocat d'affaires de réputation internationale, est le vice-président de la Shakarchi. Elisabeth lui conseille de démissionner immédiatement de son poste.

Il le fait dans la journée.

Hans W. Kopp est un personnage hors du commun. Je l'ai connu sur les bancs de la faculté de droit, et il y a longtemps que cet homme trouble, puissant, aux dons éclatants, me fascine. Un univers nocturne l'habite. Il est mû par des passions hors du commun, complexes et flamboyantes.

---

1. Cf. les déclarations de Joerg Kistler, porte-parole de l'Office fédéral de police, in *Journal de Genève*, 4/5 novembre 1989.
2. Dick Marty, dans le journal *24 Heures*, Lausanne, 6 mars 1989.

Aujourd'hui, l'homme a la cinquantaine. Il est grand, massif, portant un embonpoint naissant, une calvitie prononcée. A certains moments, sous de lourdes paupières, surgit, foudroyant, le regard de l'oiseau de proie. Mais, en temps ordinaire, Hans Kopp joue avec maestria d'un sourire charmeur. Son pouvoir de séduction est réel. Est-il attachant ? Peutêtre, par moments, lorsqu'il déploie les mille feux de son exceptionnelle intelligence. Sa femme Elisabeth, qui fréquentait l'Université avec nous, est son pur opposé : menue, fine, elle a le visage marqué par un permanent et rigoureux contrôle de soi. Hans W. est chaud, bouillonnant comme un volcan ; Elisabeth, froide comme un glaçon[1].

Le parcours du vautour est étonnant : issu de la bourgeoisie moyenne lucernoise[2], étudiant exceptionnellement doué, travailleur et ambitieux, il devient à Zurich un jeune et brillant avocat d'affaires. Il s'enrichit très rapidement grâce à la puissance de son intelligence, sa vitalité, son goût du risque. Dans la pudibonde ville de Zurich, il affiche joyeusement son amoralité. C'est un provocateur-né. Perdu parmi les émirs, ces grands bourgeois qui respirent l'hypocrisie, souffrent de la peur du « qu'en-dira-t-on », cachent leurs (immenses) fortunes, vieillissent tristement et se gâchent la vie par conformisme, Kopp fait figure de condottiere. Il pratique la transparence.

La hantise des grandes banques multinationales, mais aussi des banques privées, des fiduciaires, des instituts de gestion de fortunes, ce sont les policiers, les douaniers étrangers et

---

1. Le couple Elisabeth et Hans Kopp reste puissant. Ils inspirent la crainte. Depuis l'éclatement du scandale, Hans W. Kopp a déposé plainte contre un nombre important de journalistes, producteurs de télévision, etc. Seules des entreprises de presse disposant de moyens financiers, d'avocats également puissants osent tout dire sur eux. Cf., par exemple, Catherine Duttweiler, *Kopp und Kopp...*, *op. cit.*
2. Son père fut un président (maire) respecté de la ville de Lucerne.

les agents de la DEA nord-américaine. Déguisés en paisibles touristes, ces fonctionnaires étrangers rôdent souvent autour des banques, tentant de photographier les clients qui y entrent ou en sortent. C'est pourquoi les temples bancaires possèdent, en sous-sol, de vastes garages. Tel agent de la mort ou son émissaire, dûment annoncé par un message codé, est accueilli à sa descente d'avion. Une Mercedes noire, tous rideaux tirés, le mène au sous-sol, d'où il rejoint l'étage de la direction. Il repart par le même chemin. Au cabinet de Mᶜ Kopp, en revanche, l'accueil est public.

Gourmet, bon vivant, le vautour aime aussi fréquenter les dîners ainsi que les fêtes somptueuses. Poète à ses heures, il a publié, en 1975 et 1976, deux recueils lyriques intitulés *Un homme marche sous la pluie* et *La Création*.

Kopp est vice-président de la Shakarchi Trading SA.

Son cabinet défend officiellement les intérêts de Yasar Musullulu, l'un des plus brutaux, des plus efficaces parrains de la drogue de toute l'Europe : jusqu'en 1984, Musullulu dirige au Bahnhofplatz, 4, à Zurich, la société Oden Shipping SA spécialisée dans le courtage et le transport maritimes. C'est le cabinet Kopp qui, en 1983, obtient le renouvellement de son permis de séjour. En bref : le vautour fait ouvertement, et comme par une sorte de provocation joyeuse, ce que les émirs et leurs complices font quotidiennement d'une façon cachée, honteuse et gênée. Lorsque les émirs affichent un sourire mielleux, Kopp fait éclater son rire tonitruant.

Dans une ville frileuse, austère, où le mensonge est roi et la modestie affichée une exigence sociale — lisez le roman *Mars* de Fritz Zorn[1] ! —, Hans W. Kopp fête publiquement son premier million gagné à la sueur de son front.

J'éprouve pour mon camarade de sages et lointaines études

1. Paris, Gallimard, coll. « Folio », 1987.

de droit public et privé une sorte d'estime : lui au moins vit au grand jour les fantasmes helvétiques de pouvoir, de richesse illimitée, que des générations d'émirs s'échinent à camoufler.

Parfois les choses tournent mal. Ainsi dans l'affaire de la société *Trans KB*. Fondée par le vautour et un petit émir, J. Ernst, en 1979, la Trans KB est spécialisée dans les investissements à hauts risques. Elle collecte les versements de petits et moyens épargnants, contre la promesse de dividendes et d'intérêts faramineux. L'affaire tourne pendant trois ans. En 1982, l'aventure se termine brutalement : la Trans KB s'effondre, victime de la faillite. Elle laisse derrière elle des dettes comptables de 12 millions de francs suisses. En trois ans, la Trans KB avait drainé plus de 40 millions de francs suisses de dépôts individuels ou collectifs. Flamboyant président du conseil d'administration de la Trans KB, Kopp assume fièrement le désastre. Il ne regrette rien, ne se cache nullement de la presse, des juges, raconte avec délice ses aventures de capitaine malheureux, accuse la mer houleuse et promet de rembourser. L'aventurier aime l'aventure. Celle de la Trans KB a mal tourné ? C'est un risque qu'il fallait prendre. Le 9 juillet 1989, Albert Ochsenbein, juge d'instruction zurichois, transmet le dossier au parquet, qui, le 7 décembre, inculpe Kopp et Ernst d'escroquerie et de faux dans les titres.

Le maniement de l'argent a, en Suisse, un caractère sacramentel. Garder l'argent, l'accueillir, d'où qu'il vienne, le compter, thésauriser, spéculer, receler, sont des activités qui, depuis le temps du « premier refuge[1] », sont investies d'une

---

1. Le « premier refuge » désigne le repli vers Genève des bourgeoisies fortunées de France, de Lombardie, des Pays-Bas fraîchement converties au protestantisme, victimes des persécutions religieuses de la première moitié du XVIᵉ siècle. Le « deuxième refuge » se produit après la révocation de l'édit de Nantes par Louis XIV (édit de tolérance confessionnelle) en 1685 :

majesté quasi ontologique. Aucune parole ne doit venir souiller une activité aussi noble. Elle s'accomplit dans le recueillement, dans le silence[1].

L'avertissement providentiel lancé par Elisabeth Kopp à son mari aurait dû rester secret. Bien entendu, des rumeurs circulent. Mais l'admirable vertu helvétique du silence plombé, la capacité de taire ce qui pourrait nuire au mensonge public protègent le ministre. Début décembre, la majorité conservatrice du Parlement fédéral, aveugle et sourde, élit Elisabeth Kopp vice-présidente du Conseil fédéral[2].

Un banquet à l'hôtel Schweizerhof de Berne prolonge la triomphale élection de ce mercredi matin de décembre. Devant ses supporters enthousiastes — le Gotha de la finance, de l'économie, de la politique (de droite) helvétiques —, Elisabeth Kopp prononce un discours émouvant, vantant son épuisant combat pour la défense de la légalité contre les menées subversives des organisations de gauche.

Mais, au même moment, du côté des services secrets américains, du ministère de la Justice de Washington, la colère gronde. Les Américains sont mécontents de la protection que les banquiers accordent à certains gros bonnets de la drogue.

Comme n'importe quelle république bananière d'Amérique caraïbe, l'Émirat helvétique est mis sur écoute vingt-quatre heures sur vingt-quatre par les services secrets des

---

de nouveau, un flot de protestants fortunés, principalement de France, se dirige vers Genève.

1. L'architecture des banques helvétiques traduit admirablement le caractère sacré de l'activité bancaire : temples somptueux à colonnades de marbre pour les grandes banques d'affaires, petites chapelles discrètes à boiseries sombres pour les banques privées et gérants de fortunes.

2. En Suisse, le pouvoir exécutif suprême est exercé par les sept conseillers fédéraux. Il n'existe ni chef de l'État ni président de la République permanents : les sept conseillers accèdent à tour de rôle aux fonctions de vice-président, puis de président du Conseil fédéral. Le président et le vice-président de la Confédération changent tous les ans au mois de décembre.

États-Unis. Avec un joyeux cynisme, ceux-ci violent quotidiennement la souveraineté helvétique. Les relations d'affaires entre le grand frère et son coriace concurrent étant ce qu'elles sont, personne, au cours des ans, n'osera vraiment protester.

Environ 70 000 spécialistes répartis aux quatre coins de l'univers travaillent à la National Security Agency (NSA). La NSA est chargée de l'écoute des communications des ennemis comme des amis. Quelques dizaines d'agents s'occupent en permanence de la Suisse : aucun signal radio, aucune conversation téléphonique ne leur échappe. Leurs ordinateurs hypersophistiqués sont programmés pour capter, rassembler et traduire en clair toute conversation qui comporte le nom-code prénoté. Exemple : l'ordinateur traque le mot « stuff » (argot utilisé par les trafiquants pour désigner l'héroïne). Toutes les conversations où ce mot est prononcé sont immédiatement enregistrées, regroupées et retranscrites. Ce sera un jeu d'enfant pour la NSA de regrouper les conversations comportant les mots « Shakarchi », « Crédit suisse », « Kopp », etc.

Pour surveiller les communications officielles, militaires, bancaires ou privées en Suisse, la NSA entretient autour des frontières quatre bases distinctes : en Allemagne du Sud, la NSA est installée sur le périmètre de la base aérienne de Ramstein. La Suisse orientale est couverte par les écoutes aménagées sur la base d'Augsbourg et sur une base plus petite établie tout près de la frontière autrichienne, Bad Aibling. La Suisse méridionale, romande et centrale est « écoutée » à partir de la base italienne de Sorico, située à quelques kilomètres au sud de la frontière tessinoise.

Mais la NSA américaine n'écoute pas seulement les conversations téléphoniques, télégraphiques interurbaines et locales. Elle surveille également les conversations professionnelles et privées que tiennent les principaux responsables helvétiques à l'intérieur de leurs bureaux du palais fédéral. L'élégante silhouette de la résidence de l'ambassadeur américain se dresse tout à côté du ministère fédéral de la Justice. Les spécialistes de la NSA qui y sont installés disposent de micros ultra-sensibles, dits *long-range*, qui leur permettent de capter, dans un rayon de plusieurs kilomètres, toutes les conversations, même celles tenues à voix basse dans des pièces fermées.

La Confédération helvétique met, pour sa part, un grand soin à protéger le secret postal et téléphonique de ses citoyens. Contrairement à ce qui se passe dans la plupart des autres États européens, les écoutes téléphoniques mises en œuvre par les autorités y sont rares et réglementées d'une façon extrêmement restrictive. En 1988, le ministère public de la Confédération n'a ordonné que 44 mesures de surveillance à la suite d'enquêtes de police judiciaire. Au 1er janvier 1989, 58 personnes seulement se trouvaient sous surveillance téléphonique. Au cours de la même année, 46 de ces mesures ont été levées. Sur le plan cantonal, les autorités compétentes — juges d'instruction, procureurs, etc. — ont, durant l'année 1988, requis 397 mises sous écoute. Au 1er janvier 1989, seuls 69 raccordements téléphoniques étaient effectivement sous écoute. En 1988 également, 5 mesures de surveillance consécutives à des enquêtes militaires ont été ordonnées[1].

1. En Suisse, 11 instances différentes, fédérales et cantonales (douanes, parquet fédéral, parquets cantonaux, contre-espionnage, juges d'instructions cantonaux, etc.), peuvent requérir la mise sous écoute d'un raccordement. Les PTT suisses relevant de la compétence de la Confédération, seule cette dernière peut ordonner la mise sous surveillance (chiffres fournis le 30 août 1989 par le ministère fédéral de Justice et Police en réponse à une question écrite d'un conseiller national).

La vérité a ceci d'ennuyeux qu'une fois réveillée elle refuse de se rendormir. Au royaume du secret, les révélations se succèdent alors avec le fracas d'un ruisseau au printemps.

Le Conseil fédéral doit ordonner une nouvelle enquête. Elle est confiée à l'ancien président du Tribunal fédéral, Arthur Haefliger, chargé, cette fois, d'examiner l'ensemble des pratiques de la totalité des services du ministère de la Justice.

Il découvrira, dans les archives du parquet fédéral, des requêtes d'entraide, des mandats de recherche, des mandats d'arrêt, lancés par Interpol, le FBI américain, la justice italienne, américaine et turque, contre quelques-uns des trafiquants les plus recherchés du monde de la drogue, du trafic d'armes. La plupart de ces éminents personnages vivent depuis des années, sous leur nom propre (plus rarement un nom d'emprunt), dans de somptueuses villas au bord du lac de Zurich ou sur les rives accueillantes du Léman. Excellents clients des grandes banques multinationales helvétique, ils jouissent de la considération générale et, souvent, de protections efficaces.

Quelques exemples :

Yasar Musullulu est un quinquagénaire soigné, de stature moyenne, moustachu et bon vivant. Son large visage au nez proéminent respire la brutalité, l'intelligence et la force. Son sourire est avenant. Il a les manières agréables de l'homme du monde. Une passion l'habite : les danseuses du ventre. Dans des villas disséminées en Suisse, dans des hôtels de luxe, Musullulu organise régulièrement pour ses nombreux amis — turcs, libanais, suisses — de sympathiques soirées en compagnie de ces dames sensuelles, orientales et généreuses. Musullulu est turc. C'est l'un des criminels les plus recherchés d'Europe. Ses spécialités : héroïne, trafic d'armes.

Pendant de nombreuses années, Musullulu vit le plus légalement du monde, honoré de tous, protégé par ses gardes du corps et un système de surveillance électronique sophistiqué dans sa belle villa sur les hauteurs de Zurich. C'est le cabinet du vautour, on s'en souvient, qui lui a obtenu un permis de séjour en règle. Musullulu entretient des relations fructueuses, anciennes et confiantes avec les émirs du Paradeplatz.

Mais le FBI, la DEA américaine, les justices turque et italienne sont sur la trace de Musullulu. Juin 1983 : un mandat de recherche turc aboutit sur la table du procureur de la Confédération. Que fait le procureur ? On découvrira plus tard cette mention sur le mandat : « Ne pas arrêter. »

Printemps 1984 : la presse new-yorkaise — toujours ces Américains ! — dénonce le scandale, révèle le pedigree du paisible homme d'affaires de Zurich.

Musullulu disparaît. Interpol le cherche encore.

Irfan Mustapha Parlak est un Turc de forte stature, trapu, moustachu et rusé. Associé de Musullulu, il a quarante-trois ans, ne parle que le turc et raffole, comme son ami, des danseuses du ventre. Le 23 juin 1983, il est arrêté par la police autrichienne. Or, Parlak est également l'associé de Bekir Celenk, trafiquant notoire dont l'entreprise (qui sert de couverture à son réseau) se trouve en Suisse, à Bienne. Les Suisses réclament Parlak. Les Autrichiens leur livrent le prisonnier. Une fois franchie la frontière, Parlak disparaît dans la nature.

Yasar Kisacik vit heureux, lui aussi, en Suisse. L'homme est un fournisseur d'héroïne apprécié de la mafia sicilienne.

La justice italienne le réclame, demande son extradition. Brièvement arrêté par les autorités helvétiques, il est relâché avant même que le Tribunal fédéral, instance ultime en la matière, ait pu statuer sur son extradition. Kisacik, lui aussi, disparaît.

D'autres parrains turcs résidant dans l'Émirat helvétique ont eu — hélas — un peu moins de chance (ou des protections moins efficaces) que leurs collègues susmentionnés.

Haci Mirza vivait paisiblement, depuis 1979, dans sa villa de Zurich. Il jouissait d'excellentes relations bancaires et d'un permis de séjour en règle. Le gouvernement iranien lui aurait fourni la morphine-base, qu'il faisait raffiner au Liban pour la vendre ensuite en Europe. En contrepartie, Mirza aurait expédié aux ayatollahs des armes sophistiquées — américaines et françaises notamment. Rappel : Mirza est le trafiquant arrêté par Dick Marty à l'hôtel Excelsior de Lugano le 23 février 1987. Sam le Blond, taupe de la DEA américaine, avait infiltré son réseau.

Depuis sa condamnation par la cour d'assises de Bellinzona en avril 1989, Mirza tricote des sacs de jute au pénitencier tessinois de La Stampa. Le jeudi 12 octobre 1989, la Cour de cassation du canton du Tessin confirme les peines de Haci Mirza (dix-sept ans de prison), de Nicola Giuletti et d'Itgi Vakkas.

Hussein Bulbul, propriétaire d'une maison de transport routier à Zurich, est arrêté sur dénonciation en janvier 1987. Il portait sur lui 2 kilos d'héroïne. Il est condamné à huit ans de prison.

Bekir Celenk était propriétaire d'une entreprise à Bienne, où il résidait. Lié aux organisations d'extrême droite turques, Celenk fut le commanditaire supposé de l'attentat contre le pape Jean-Paul II. Il entretenait des rapports anciens et solides avec la pègre latino-américaine : il fut notamment le partenaire en affaires de Rafael Caro Quintero et d'Ernesto Fonseca Carillo, dit « Don Neto ». Ces deux parrains de haut vol sont, depuis 1985, incarcérés au pénitencier de Ciudad Mexico pour avoir torturé à mort un fonctionnaire de la DEA nord-américaine. Leur organisation, toutefois, est intacte. Celenk mourra mystérieusement dans une cellule de la prison centrale d'Ankara, en 1985.

Détail pittoresque : la puissance et la gloire de tous ces parrains turcs sont relativement récentes. Grâce à leur habileté financière, leur extrême brutalité et leur connaissance des lacunes des divers systèmes judiciaires et policiers européens, ils avaient réussi à créer en quelques années — et malgré la présence sur le marché d'anciennes et énergiques organisations du crime (italiennes, américaines, syriennes, etc.) — des empires considérables. Leur base opérationnelle commune était la Suisse. Le journal tessinois *L'Eco di Locarno*, qui avait enquêté sur leurs biographies respectives, note, dans son édition du 13 décembre 1988 : « Il y a quinze ans, plusieurs d'entre eux gardaient encore les chèvres en Anatolie. »

Autre détail pittoresque : ces trafiquants ont fondé leur domicile en Suisse grâce à des forfaits fiscaux négociés avec les autorités. Ils ont ainsi réussi à développer à partir de la Suisse leurs activités criminelles[1]. Dans la Confédération helvétique, en effet, la souveraineté fiscale appartient aux États membres, c'est-à-dire aux cantons. Ceux-ci peuvent ainsi accorder des privilèges fiscaux aux étrangers qu'ils désirent attirer sur leur territoire. L'étranger qui bénéficie du forfait fiscal ne remplit pas de déclaration de revenus et ne subit pas

---

1. Rapport de la commission d'enquête parlementaire du 22 novembre 1989, Berne, 1989.

de vérification : il paie annuellement une somme forfaitaire qu'il a négociée une fois pour toutes avec le fisc cantonal. Inutile de dire que cette somme forfaitaire est très avantageuse par rapport à l'imposition habituelle sur le revenu. Ainsi certains trafiquants internationaux vivent-ils tranquillement en Suisse en bénéficiant de surcroît d'énormes avantages fiscaux...

A Berne habite un homme qui suit avec un doux désespoir tous ces événements.

Il s'appelle Peter Niese. Il est le chef de l'antenne de la DEA américaine en Suisse. La DEA, qui, dans le monde entier, compte environ 3 000 agents, opère comme un service secret. Les hommes et les femmes qui la composent sont des personnes triées sur le volet, disposant de qualités morales, intellectuelles, psychologiques et physiques hors du commun. La DEA ne recrute que des agents qui ont derrière eux une carrière militaire ou civile (policière, judiciaire) exceptionnelle. La sélection est rigoureuse. Plusieurs d'entre eux sont de véritables héros. Exemple : Sam le Blond, la taupe de la DEA infiltrée au cœur du réseau turco-libanais. Son identité n'est connue que du juge d'instruction tessinois qui la garde dans une enveloppe scellée dans son coffre-fort du palais de justice de Bellinzona. Sam est une taupe téméraire : il négocie avec Haci Mirza, au quartier général de la bande, une villa discrète sur les hauteurs d'Istanbul. Au vieux Mirza suspicieux, il montre dans les sous-sol d'une banque de Zurich les 3 millions de dollars qui l'attendent à la livraison de la morphine-base. Mirza, toujours inquiet, demande à voir le laboratoire de la « bande-à-Sam ». La DEA doit alors monter de toutes pièces au Tessin un laboratoire, que Sam fait visiter au Turc, fortement impressionné[1].

Autre exemple : l'anonyme agent de la DEA qui, en 1983, infiltre le réseau mexicain de Rafael Caro Quintero et d'Ernesto Fonseca Carillo. Découvert, il est torturé à mort par les gardes du corps des parrains. Il meurt sans livrer le nom des autres taupes travaillant dans le réseau. Les parrains et leurs tueurs seront plus tard arrêtés puis condamnés.

Peter Niese est un ancien officier du corps des marines, vétéran du Vietnam. Il travaille pour la DEA depuis dix-huit ans. Son principal titre de gloire : en tant que chef du bureau de la DEA à Fort Launderdale, il a démantelé, l'arme à la main, les réseaux cubains, panaméens et colombiens du Sud de la Floride. Né d'un père d'origine allemande, ancien pompier de la ville de New York, et d'une mère irlandaise, Niese est un géant blond, ouvert, ironique et intelligent, qui découvre avec ahurissement la jungle helvétique. Dans les résidences étrangères de la DEA, seul le chef est connu : il doit maintenir officiellement le contact avec les autorités locales. L'identité de ses collaborateurs reste, en revanche, secrète. Niese a le statut de conseiller à l'ambassade des États-Unis à Berne. Réveillé, parfois en pleine nuit, par un appel du résident de la DEA à Bogota, Istanbul ou Beyrouth, il saute dans sa BMW verte, ultra-rapide, fonce à Zurich ou à Genève afin d'organiser, avec la police locale, une embuscade à l'aéroport (de Cointrin, de Kloten) pour « cueillir » le convoyeur, trafiquant ou financier annoncé. Je demande :

---

1. L'étonnant travail de Sam le Blond sera en partie révélé par Dick Marty au cours de sa conférence devant la Société suisse de droit pénal, tenue à Neuchâtel le 16 novembre 1989 (Dick Marty, ayant quitté la magistrature, est aujourd'hui libre de parler). Cf. *Le Matin*, Lausanne, 17 novembre 1989.

« Et cela marche ? » Réponse diplomatique de Niese : « *Sometimes* » (parfois).

Le lecteur de ce livre devinera sans difficulté les raisons du faible succès des tentatives d'interception en territoire suisse des envoyés des parrains.

Tout, dans l'organisation de la lutte antidrogue en Suisse, étonne Niese. Notamment, le fait que, dans les deux aéroports intercontinentaux du pays, à Zurich-Kloten et à Genève-Cointrin, les principales banques et bureaux de change entretiennent des guichets dans le hall de départ et dans la salle de transit, permettant à n'importe quel agent de la mort d'effectuer ses transactions bancaires sans jamais passer une douane ou un contrôle de police. Pire : si jamais ce parrain, ce financier, ce commis voyageur est impliqué dans une procédure judiciaire aux États-Unis (ou ailleurs), il sera très difficile de prouver qu'il est passé par la Suisse. Je dois à Niese, à ses analyses perspicaces, à sa franchise une vive gratitude.

En août 1986, un rapport détaillé de la magistrature italienne décrivant avec précision la structure, les activités des réseaux turcs implantés en Suisse orientale, parvient à la police de Zurich. Le nom de Mohammed Shakarchi et celui du vice-président de la Shakarchi Trading SA, Hans W. Kopp, y figurent en toutes lettres. Que fait le zélé policier chargé du traitement du rapport ? Tout empli d'un sain respect pour le mari du ministre fédéral de la Justice en exercice, il gomme tout simplement le nom de Kopp avant de transmettre l'explosif document à la magistrature locale. Qui, d'ailleurs, n'en fera rien...

Une autre fois, c'est une demande d'entraide judiciaire italienne concernant le parrain Parlak qui parvient à Zurich. La requête, évidemment, est rejetée. La police zurichoise se surpasse alors : non contente de refuser toute collaboration à la police italienne, elle marque sur le dossier Parlak : « Surveillance inutile. »

Demander aux Suisses l'entraide judiciaire contre un parrain turc (ou libanais) peut d'ailleurs être nocif pour la santé : en 1983, Rocco Chinici, juge d'instruction de la ville de Palerme, demande l'assistance de la police zurichoise dans une affaire de fourniture d'héroïne à la mafia sicilienne. La magistrature zurichoise juge « trop vagues » les faits évoqués par la partie italienne. Assistance refusée. Pourtant, les faits découverts par le juge Rocco Chinici ne semblent pas « trop vagues » à tout le monde : six mois après l'expédition de sa demande d'entraide à Zurich, l'imprudent juge est assassiné. Il repose aujourd'hui au cimetière de Palerme. Le *Tagesanzeiger*, le plus grand journal du pays, appelle pudiquement cela : « les pannes de la police zurichoise[1] ».

Étalée sur les rives d'un lac nourri des eaux claires des glaciers alpins, Zurich est une des villes les plus anciennes, les plus belles de notre continent. En son milieu s'étend, constellée de platanes et de parterres de fleurs, une place sinistre : le Platzspitz.

Le Platzspitz est un mouroir qui jouit d'une sorte d'extraterritorialité. Aucun policier n'y opère. Parmi les fleurs et sous les arbres, des centaines d'adolescents, d'adultes, parfois même des enfants, négocient leur dose d'héroïne, de crack, de LSD, s'injectent dans les veines leur poison quotidien, délirent, souffrent et, parfois, agonisent. Des infirmiers bénévoles d'organisations caritatives, des assistantes sociales, des

---

1. Enquête du *Tagesanzeiger*, 9 juin 1989.

pasteurs circulent parmi cette jeunesse détruite. Les ambulances arrivent toutes sirènes hurlantes, chargent un gosse mourant, repartent... Des seringues usées jonchent le sol. Une fois par jour, les camions orange de la voirie municipale nettoient à grand jet la pourriture, les immondices accumulées sur le Platzspitz.

Cette place de la misère, qui, quotidiennement, offre aux badauds le spectacle effroyable de la déchéance d'adolescents désorientés, désespérés, suicidaires, se situe à quelques centaines de mètres des façades pompeuses des temples bancaires où sont « lavés » les milliards de dollars provenant du trafic intercontinental de la drogue.

Le Nouvel Observateur, puis *Libération* ont consacré à ce voisinage insolite des reportages approfondis. Le 6 mai 1989, la cinquième chaîne de la télévision française diffuse une émission sur le Platzspitz. Le samedi 17 juin 1989, TF 1 consacre à « La Suisse Connection » un reportage bouleversant. Aucun de ces journaux, aucune de ces chaînes de télévision ne seront attaqués en justice par aucun des émirs voisins du Platzspitz.

Revenons à l'inexorable déchéance de la maison Kopp. De mars à septembre 1989, le juge d'instruction extraordinaire nommé par le gouvernement interroge la prévenue, mène l'enquête. Ce juge s'appelle Walter Koeferli. Pour des raisons que nous expliquerons plus loin, Walter Koeferli porte — dans les milieux journalistiques — le beau nom de « Monsieur Non-Lieu ». C'est probablement le juge d'instruction le plus contesté de toute la Confédération. Le gouvernement le désigne contre la volonté expresse du Parlement et d'une grande partie des magistrats.

21 septembre 1989 : dans son bureau cossu, orné de peintures modernes de la chancellerie fédérale, le vice-chancelier Achille Casanova, un Tessinois exubérant, chaleureux et lucide, souffre le martyre. Des journalistes venus de toute la Suisse et des correspondants étrangers font le siège de son bureau. La veille, Koeferli a rendu son rapport, suivi en tout point par le procureur (par intérim) de la Confédération chargé de formuler l'acte d'accusation : aucun délit vraiment sérieux n'est retenu contre l'ex-ministre. L'abus de pouvoir ? Balayé ! Le délit d'entrave à la justice ? Balivernes ! Une seule infraction est imputée à Elisabeth Kopp : la violation du secret de fonction.

Flash-back : souvenez-vous de ce 27 octobre 1988. Le ministre en exercice de la Justice de la Confédération apprend qu'un imprudent procureur du canton du Tessin vient d'arrêter deux convoyeurs du réseau turco-libanais et s'apprête à poursuivre les dirigeants d'une société qu'il considère comme un des principaux lavoirs de la bande, la Shakarchi Trading SA de Zurich. Par un coup de téléphone donné de son bureau du palais fédéral, le ministre en avertit son mari, vice-président de la Shakarchi. Celui-ci démissionne dans la journée. Ce coup de téléphone providentiel a-t-il permis à la Shakarchi — comme le pensent des enquêteurs — de se préparer à la visite de la police, de détruire des documents compromettants, en bref : de prendre toutes les précautions qui s'imposaient afin d'affronter sereinement les éventuels interrogatoires et enquêtes ? De fait, jusqu'ici, aucune des enquêtes menées par le procureur tessinois Dick Marty, ou par d'autres instances judiciaires, contre Mohammed Shakarchi et ses associés n'a abouti à une inculpation. Le clan des

Shakarchi est aujourd'hui en pleine expansion commerciale, plus prospère que jamais[1].

Mardi 13 novembre 1989 : le Tribunal fédéral annonce que le procès pénal d'Elisabeth Kopp, de sa conseillère personnelle Katharina Schoop et de l'ancienne fonctionnaire Renate Schwob aura lieu au printemps 1990. Elles sont donc inculpées de violation de secret de fonction. L'article 320 du Code pénal dispose : « Celui qui aura révélé un secret à lui confié en sa qualité de membre d'une autorité ou de fonctionnaire, ou dont il a eu connaissance en raison de sa charge ou de son emploi, sera puni de l'emprisonnement ou de l'amende. » En pratique, et selon la jurisprudence, la sanction pour la violation du secret de fonction est l'amende.

---

1. Plusieurs membres du clan Shakarchi possèdent des sociétés financières. L'une d'elles vient de s'installer à Genève, dans un somptueux palais particulier du quartier des Tranchées.

3

L'énigmatique Monsieur Albert

Un autre bel exemple de l'exquise hospitalité helvétique est fourni par le cas *Albert Shammah*.

Né dans une grande famille de marchands juifs d'Alep, Albert hérite de ses ancêtres l'intelligence aiguë, la culture et le goût des voyages. L'œil vif derrière d'épais verres cerclés de cuir, le chapeau noir fermement vissé sur son crâne rond et chauve, le petit homme corpulent respire la joie de vivre. Outre l'arabe, l'hébreu et le japonais, il parle couramment les principales langues européennes. Avec son menton volontaire cerné de légères bajoues, il fait penser aux figures de prédateurs mondains et cultivés des romans de Pozzi. Il a le sens du contact et rayonne de chaleur humaine. Il n'y a guère que ces occasionnels éclairs de diamant, durs et brefs, au fond de ses pupilles, qui font frissonner ses interlocuteurs.

A vingt ans, Albert part pour Kobé, au Japon. Puis il se fixe à Bombay. En 1947, il s'installe à Milan. En 1964, il ouvre sa première société financière à Genève : la Mazalcor SA. Mais il réside toujours à Milan. En Italie, en l'espace de deux décennies, il devient l'un des principaux marchands de devises. La *valuta* est sa passion. Sur ses comptes de Milan, de Genève (de New York, de Kobé, etc.) transitent chaque année des dizaines et des dizaines de millions de dollars, de yens, de florins, de deutschemarks, de francs[1].

Selon les juges italiens, certaines de ces sommes astronomiques proviendraient du trafic intercontinental de la drogue et des armes. A tort ou à raison, ces juges tiennent le polyglotte Albert pour un maillon clé de multiples réseaux internationaux qu'ils s'échinent à démanteler. Une chose est certaine : le nom de Shammah apparaît avec une belle régularité dans les carnets d'adresses, dans les conversations téléphoniques (mises sur table d'écoute), dans les témoignages de nombreux délinquants des deux côtés de l'Atlantique.

Petit accroc dans l'impeccable carrière de Monsieur Albert : *Abdullah Isaacs*, soixante-dix-sept ans, son ami intime, son homme de confiance et son collaborateur direct depuis vingt ans, se fait cueillir bêtement. Acculé par la justice de Turin, *Celal Erdogan*, truand turc et principal lieutenant du grand *Vagit Tirnovali*, a « balancé » le vieil Isaacs. Il affirme qu'il a déposé de l'argent sale chez Isaacs, sur ordre de Tirnovali. Selon les journalistes de *L'Hebdo* qui ont eu accès aux documents de la justice italienne, Isaacs mettra formellement en cause Albert Shammah. *L'Hebdo* : « C'est pour ce dernier [expliquera Isaacs aux enquêteurs], afin qu'il puisse le transférer à l'étranger, qu'il a gardé en dépôt l'argent que lui a remis Celal Erdogan. Il ajoute qu'Albert Shammah l'a fait entrer dans ce cercle et qu'il pourrait bien être l'organisateur de tout[2]. »

Commencent alors d'obscurs règlements de comptes en Italie. Shammah est enlevé, puis réapparaît sain et sauf. Il franchit ensuite la frontière et débarque à Genève. Il s'installe pendant deux ans dans un luxueux palace de la ville, l'hôtel

1. Cf. l'*Espresso*, Milan et Rome, 17 et 24 janvier 1988.
2. *L'Hebdo*, 23 février 1989, p. 27.

du Rhône, puis déménage dans une charmante demeure patricienne, dans le quartier des Bastions.

Monsieur Albert sait vivre : joueur passionné et talentueux de bridge, il passe le plus clair de son temps dans la station valaisane de Crans-Montana. Selon ses propres dires, il a — outre le bridge — trois passions : les jolies femmes, les chevaux et le golf. Coquet, Albert soigne sa ligne : à l'hôtel du Golf à Crans-Montana, il suit régulièrement les cures de tisanes et d'herbes du bon docteur Mességué.

Son empire croule en Italie : banqueroute. Inculpation prononcée le 10 mai 1977. Disparition en prison de ceux que la justice italienne tient pour ses amis. Même le grand Vagit Tirnovali tombe : il est condamné à vingt-cinq ans de pénitencier.

Zekir Soydan, autre trafiquant turc de stupéfiants, se fait bêtement arrêter à Lausanne. Aux enquêteurs de la police, il avoue avoir versé de fortes sommes à Albert Shammah. Pour le compte de qui ? Du grand caïd — malencontreusement arrêté entre-temps — Vagit Tirnovali, dont il est le neveu.

Monsieur Albert survit à la tempête. Il peut compter à Genève sur de puissants soutiens.

Edmond Safra réside également à Genève. Originaire, lui aussi, d'une grande famille juive d'Alep, il devient par la suite citoyen brésilien. Comme Shammah, il a commencé sa carrière à Milan, en 1948. Mais, tandis que Shammah se contente du trafic de devises, de commerces de toute sorte, Safra, lui, force la porte de l'establishment : il devient patron d'une grande banque multinationale qu'il implante à Genève. Financier d'un formidable talent, intelligent, âpre au gain, Safra fait rapidement prospérer sa *Trade Development Bank*.

1983 : Edmond Safra vend sa Trade Development Bank à

la compagnie American Express en réalisant un énorme profit. L'émir se recycle immédiatement : il ouvre à Genève une succursale de la Republic National Bank of New York, qu'il avait fondée en 1966 aux États-Unis. Cet homme rondelet, chauve, aux favoris blancs, aux épais sourcils noirs, aux yeux noirs et intelligents, organise avec soin, partout où il passe, son implantation locale. A Genève, il s'attache le support ardent d'un remuant dirigeant du Parti démocrate-chrétien local, l'ancien député et avocat Jean-Pierre Jacquemoud. Jacquemoud siège au conseil d'administration de la succursale genevoise de la Republic National Bank of New York[1].

L'*Hebdo* ayant, comme d'autres revues ou journaux internationaux[2], évoqué la possible implication de Safra dans le blanchiment des profits de réseaux intercontinentaux de narco-trafiquants, doit faire face, à Genève, à une plainte pénale : Safra conteste entretenir quelque lien que ce soit avec l'un quelconque des trafiquants de drogue.

Hélas pour Monsieur Albert, les juges italiens, notamment le juge d'instruction de Turin Mario Vaudano, sont obstinés. Spécialiste de la lutte contre les réseaux financiers de la mafia sicilienne et calabraise, Mario Vaudano envoie requête sur requête à Genève. S'appuyant sur les traités d'entraide judiciaire, il demande la saisie d'un certain nombre de comptes, la communication de documents appartenant à Shammah, exige des confrontations. On appelle cela des « commissions rogatoires ».

Ces requêtes parviennent sur la table d'une jeune femme

1. Déclaration de Mᵉ Jacquemoud à l'hebdomadaire suisse *L'Hebdo*, 5 mai 1989.
2. Sur la carrière de Safra, on lira notamment les enquêtes publiées par l'hebdomadaire italien *Espresso* du 17 janvier 1988 ; par l'hebdomadaire péruvien *Hoy*, Lima, 4 juillet 1988.

élégante du nom de Laura Rossari-Jacquemoud. La dame est juge d'instruction au palais de justice, place du Bourg-du-Four, à Genève, et épouse de Me Jean-Pierre Jacquemoud, conseiller d'administration de la banque de Safra. Mme Rossari-Jacquemoud trouve les requêtes d'entraide de la justice italienne « incomplètes[1] ». Elle refuse d'y donner suite. En 1989, Laura Rossari-Jacquemoud est promue et devient présidente du tribunal de première instance de Genève.

Mais Monsieur Albert reste inculpé en Italie, dans une affaire qui concerne également Yasar Musullulu... que l'Office du procureur de la Confédération refuse d'arrêter[2]. La Suisse refuse d'extrader Yasar Kisacik, inculpé dans la même affaire.

Octobre 1985 : les juges italiens se fâchent vraiment. Invoquant le traité d'extradition entre la Suisse et l'Italie, ils demandent l'arrestation en bonne et due forme de Monsieur Albert et sa remise aux tribunaux de la péninsule. Un beau matin d'automne, Shammah est cueilli par des policiers genevois au saut du lit, dans sa somptueuse demeure du quartier des Bastions. Il est conduit en fourgon cellulaire à la prison de Champ-Dollon, dans la campagne genevoise.

En matière d'extradition, c'est le ministère fédéral de la Justice qui est compétent. Les autorités cantonales ne font qu'exécuter ses ordres. Le haut fonctionnaire qui, à Berne, traite le dossier s'appelle Edgar Gillioz. Ce dernier est inondé de lettres signées par les amis de Shammah et par leurs puissants avocats. Finalement, Edgar Gillioz trouvera la demande d'extradition italienne « insuffisamment motivée ». Avant même que le Tribunal fédéral à Lausanne, dernière instance

---

1. Cf. les déclarations de Mme Rossari-Jacquemoud in *L'Hebdo*, 5 mai 1989.
2. Cf. p. 158 *sq.*

en matière d'extradition, comme on l'a dit, ait pu statuer, Gillioz remet Shammah en liberté. Il lui demande toutefois une caution de 250 000 francs suisses et lui retire son passeport.

Nouvelles interventions des amis. Gillioz rend la caution et le passeport à l'innocent persécuté. Le juge Vaudano lance alors un mandat d'arrêt international. Avec quel succès ? Alors que j'écris ces lignes, Monsieur Albert coule une existence tranquille entre son golf de Crans-Montana et ses luxueux appartements du quartier des Bastions. Il nie toute implication dans le trafic de la drogue.

L'extradition telle que la pratiquent les autorités helvétiques mérite examen : elle permet de constater avec quelle exquise délicatesse le ministère fédéral de la Justice traite certains grands clients des émirs.

Prenons l'exemple du grand maître de la loge P 2, *Licio Gelli*. La loge P 2 est l'une des organisations criminelles internationales les plus vastes, les mieux structurées et les plus efficaces de l'histoire récente.

Le 2 août 1980, une bombe explose à la gare de Bologne, déchiquetant 85 voyageurs — hommes, femmes et enfants — et en blessant grièvement près d'une centaine d'autres. A la même époque, la banque Ambrosiano, qui gère, entre autres, les capitaux du Vatican, s'écroule. Son principal dirigeant, le banquier Calvi, est peu après retrouvé pendu sous un pont de Londres. La justice italienne impute la responsabilité principale des deux affaires à des membres de la loge P 2. Le grand maître disparaît alors en Amérique latine. Il est d'abord hébergé par la dictature militaire argentine, puis sa présence est signalée au Brésil. Plusieurs banques helvétiques gèrent les comptes numérotés de la P 2.

Le 13 septembre 1982, Gelli, affublé de fausses moustaches, les cheveux teints, se présente dans les salons de l'Union de banques suisses à Genève. Confiant dans la discrétion des banquiers helvétiques, à court d'argent liquide, le grand maître veut retirer 10 millions de dollars. Il est arrêté dans les locaux mêmes de l'UBS par la police genevoise, puis transféré à la bucolique prison de Champ-Dollon. Le 10 août 1983, Gelli — avec la complicité d'un gardien — quitte la prison par la grande porte. Un hélicoptère, garé dans le voisinage, l'emporte vers une destination inconnue.

Gelli se replie finalement sur ses bases latino-américaines. Mais il ne s'avoue pas vaincu. Il veut reconstruire son empire, récupérer ses dizaines de millions de dollars. Comment faire ?

Par avocats interposés, il poursuit devant le Tribunal fédéral suisse sa procédure en contestation du mandat d'extradition que les autorités italiennes ont adressé à la Suisse. Le Tribunal fédéral déboute Gelli et accorde l'extradition. Involontairement, il joue ainsi le jeu du grand maître : l'arrêt extraditionnel du Tribunal fédéral ne mentionne que les délits administratifs et financiers liés à l'affaire Ambrosiano. Or, le traité d'extradition italo-helvétique stipule qu'un délinquant extradé par la Suisse vers l'Italie ne peut être jugé — par la justice italienne — que pour les délits expressément mentionnés par le jugement extraditionnel.

Une fois l'arrêt du Tribunal fédéral acquis, Gelli négocie son retour en Suisse. Négociation ténébreuse, encore mal connue, qui divise profondément l'appareil judiciaire, la police, le gouvernement à Genève. Le courageux ministre cantonal de la Justice, le conseiller d'État Bernard Ziegler,

65

s'oppose vigoureusement aux exigences des avocats de Gelli. Il perdra la bataille.

L'enjeu est de taille : le grand maître est recherché dans le monde entier par Interpol. Des mandats d'arrêt internationaux sont lancés contre lui. S'il se fait arrêter n'importe où sauf en Suisse, il sera expédié en Italie, traduit en justice et jugé pour crime de sang. Si, en revanche, son opération genevoise réussit, il sera extradé de Suisse en Italie et jugé uniquement pour des délits administratifs et financiers.

Malgré ses déboires passagers, la P 2 reste l'une des organisations criminelles les plus efficaces, les plus riches, les plus puissantes du monde. Elle protège efficacement son grand maître. Aucune police d'aucun pays ne mettra la main sur lui. Gelli débarque tranquillement à Genève à la fin de l'année 1987. Il est enfermé au quartier cellulaire de l'hôpital cantonal — pour « troubles cardiaques » — pendant quelque temps, puis, le 17 février 1988, expédié en Italie. La justice italienne — limitée par le jugement extraditionnel helvétique — condamne Gelli à deux mois de prison, pour délits administratifs et financiers... Puis elle est contrainte de le libérer.

Mais les juges italiens ne désarment pas. En été 1988 s'ouvre le procès du massacre de Bologne : Gelli est condamné à dix ans de prison. Jugement non exécutoire (pour les raisons citées plus haut). Le 18 juillet 1989, la justice italienne présente à Berne une demande dite « d'extension de l'acte d'extradition » mentionnant la condamnation de Gelli dans l'affaire de Bologne. Que fait le ministère fédéral de la Justice ? Il refuse purement et simplement cette nouvelle demande, alléguant finement que le crime de Bologne est couvert par la prescription !

En Italie, la classe politique, l'opinion publique, les magistrats se révoltent devant tant de cynisme. Renzo Imbeni, maire de Bologne, exprime leur sentiment : le refus suisse est « un acte hostile envers l'Italie [...] une honte et une offense incroyable à l'égard des proches des victimes[1] ». Aujourd'hui, pourtant, Licio Gelli, âgé de soixante-dix ans, vit des jours heureux dans sa villa de Toscane.

Dernière illustration du dysfonctionnement de la justice helvétique : au pied du Jura, dans la ville de Bienne, prospère un autre philanthrope du nom de *Hovik Simonian*. Homme d'affaires international, Simonian est né au Liban en 1949. Installé à Bienne depuis 1977, il y fonde, en 1979, la société Abiana SA.

Activités reconnues : commerce de montres avec la Turquie et les pays du Moyen-Orient, contrebande dans ces pays et trafic de devises. L'une des plaques tournantes des convoyeurs de l'Abiana est Sofia. Plus de 50 millions de francs suisses transitent sur ses comptes entre 1980 et 1983.

1983 : année de malheur (passager). La justice italienne — encore elle ! —, suivie du procureur du canton de Bâle-Ville, ouvre, contre Simonian et ses complices, une enquête pour blanchiment d'argent lié au trafic international de stupéfiants. Simonian est arrêté le 19 mai 1983. C'est la magistrature de Bienne qui juge l'affaire. Malgré des preuves documentaires portant sur une somme de 350 000 francs suisses[2], Simonian est acquitté. Plus : les frais de procédure sont mis à la charge de l'État de Berne, qui paie également les honoraires des avocats de Simonian et lui verse une indemnité

1. Renzo Imbeni, maire de Bologne, cité par la *Tribune de Genève*, 10 octobre 1989.
2. Cette somme est mise sous séquestre.

pour préjudice moral. Merci aux contribuables helvétiques ! Animée d'une curiosité tout à fait déplacée, une équipe de cinq journalistes de haut niveau mène sa propre enquête. Les résultats sont étonnants[1]. Comme Shammah, Simonian avait su organiser son implantation locale. Pour administrer sa société Abiana SA, il s'était assuré les services d'un discret expert fiduciaire biennois du nom de *Walter Bieri*. Le fils de Bieri, Adrian, était juge d'instruction du canton de Berne entre janvier 1987 et fin avril 1988[2].

Peu après, Adrian reçoit une promotion flatteuse : il est appelé auprès du procureur de la Confédération où il est chargé de la répression du trafic international de la drogue.

Juin 1989 : Simone Mohr et Yves Lassueur, au cours d'une émission de la Télévision suisse romande (« Temps présent »), évoquent le cas Simonian. Celui-ci porte plainte auprès du tribunal de Lausanne (ville où est installé le siège central de la Radio et Télévision suisse romande). Le tribunal déboute Simonian. Dans ses attendus, il s'appuie notamment sur les constatations d'Arthur Haefliger. Souvenez-vous : Haefliger avait été nommé par le Conseil fédéral pour enquêter sur la gestion d'Elisabeth Kopp[3]. Dans son rapport sur les réseaux de narco-trafiquants et leurs financiers, il avait mentionné à plusieurs reprises Simonian et Abiana SA.

Au moment où j'écris ces lignes (décembre 1989), Simonian est toujours à Bienne ; ses sociétés — et notamment Abiana SA — fonctionnent normalement. Il a fait appel du jugement du tribunal de Lausanne.

---

1. « Affaire Kopp et argent sale : la vraie menace », *L'Hebdo*, 15 décembre 1988.
2. Au moment même où se déroule l'instruction de l'affaire Simonian.
3. Cf. p. 48.

4

Un curé en voyage

Sumaré est le *bairro* (quartier) le plus haut perché de l'antique et colonial faubourg de Santa Tereza. C'est ici, au sommet de ces collines couvertes d'une jungle luxuriante, que les seigneurs du café, les grands marchands de la ville, les armateurs, les gouverneurs et les abbés des monastères ont construit leurs maisons à colonnades, refuges contre les étés torrides qui rendent la vie insupportable dans la ville, tout en bas.

Aujourd'hui, Sumaré est un labyrinthe de chemins forestiers, de routes défoncées, de petites maisons à moitié écroulées et d'hôtels borgnes. Derrière des grilles rouillées, perdues dans les parcs aux bassins couverts de mousse, aux arbres centenaires souvent fendus par la foudre, quelques maisons de maître survivent sous leurs toits de tuiles rouges.

Au pied du premier arc de l'aqueduc de Santa Tereza, trois chauffeurs de taxi avaient successivement refusé de me conduire là-haut, dans la jungle de Sumaré. Le quatrième, un Portugais, récemment immigré, petit, râblé, trapu et joyeux, animé de la sombre détermination des explorateurs, me fait signe : après trois quarts d'heure, toutes vitres fermées, la vieille Volkswagen débouche finalement sur le terre-plein, en face de la haute grille du poste des gardes armés, tout en haut de Sumaré. « *A casa do cardéal* » (la maison du cardinal), me dit fièrement le Portugais.

Dom Eugenio Sales, cardinal-archevêque de Rio de Janeiro et primat du Brésil, l'ayant depuis longtemps abandonné en faveur d'un fonctionnel immeuble climatisé du centre-ville, l'antique palais aux élégantes colonnes blanches, à la façade tournée vers la baie, surplombant une paroi presque verticale qui plonge sur le quartier d'affaires et le port, n'est plus habité que par des religieuses, des jardiniers, des gardes armés et par mon ami, Joseph Romer, évêque auxiliaire et théologien en chef du primat.

Tout m'oppose à ce seigneur de l'Église, austère, discipliné, réactionnaire et puissant. Ses lèvres ne bougent que sous le contrôle étroit d'une intelligence toujours aux aguets : il observe sans cesse son interlocuteur afin de surprendre la moindre faiblesse, d'exploiter la faille la plus infime. Portant l'habit civil noir, le pli du pantalon impeccable, la petite croix métallique plantée sur le revers de la veste, il croise et décroise ses jambes, serrant contre lui un missel aux reliures dorées, d'où pendent de nombreux rubans rouges, jaunes, verts.

L'homme — la cinquantaine — a derrière lui un parcours peu ordinaire : né au sein d'une famille de petits fonctionnaires pauvres dans un village du canton de Saint-Gall (Suisse orientale), il devient séminariste et fait des études brillantes. Rapidement, sa trop grande lucidité, son intelligence embarrassent les mornes hiérarques de l'Église saint-galloise. La Providence alors s'en mêle : aux jours torrides du deuxième concile du Vatican, l'évêque de Saint-Gall est assis à côté du primat du Brésil. Celui-ci lui demande de lui déléguer un théologien érudit pour lutter contre la subversion marxiste dans l'Église brésilienne. L'évêque de Saint-Gall se débarrasse avec délice du trop intelligent abbé Romer.

70

Ce dernier devient rapidement l'éminence grise du primat, l'autorité théologique reconnue du plus grand pays catholique du monde. Vivant pauvrement comme un moine franciscain (qu'il n'est pas), Romer est habité par la révolte : la misère, la corruption, le martyre des pauvres lui sont intolérables. L'humiliation, il connaît : il l'a vécue dans son adolescence saint-galloise. Un amour des hommes intense et vigilant anime la pratique et la pensée de ce croisé ultra-conservateur, érudit, brillant, têtu et profondément croyant. Pour lui, une seule voie : celle de la régénération morale par la soumission à la loi de Dieu, dont le pape polonais est l'administrateur sur terre.

Nous sommes assis sur deux vieilles chaises en bois de couleur blanche, sous un somptueux manguier, dans le jardin de Sumaré. Une brume bleu et rose, transparente et légère, voile les plages de Niteroï, les profondeurs de la baie de Guanabara. Trois cents mètres plus bas, au pied de la paroi rocheuse qui, presque verticalement, tombe sur le port, la ville basse et la mer ; les premières lumières s'allument, étoiles solitaires dans le crépuscule naissant. Ici, sous le manguier, sur la pelouse arrosée, parmi les glaïeuls, les hibiscus et les lilas bleus, il fait jour encore. Une odeur de beignets frits dans l'huile de tournesol nous parvient par les fenêtres ouvertes de la cuisine. Au rythme du ciel et du vent, les feuilles légères des hibiscus se balancent au-dessus du bassin. Nous sommes le vendredi 25 juillet 1989.

Joseph Romer me raconte les ravages de la drogue : en Colombie, au Pérou, les grands trafiquants, leurs milices privées, leurs financiers sont au pouvoir. Par la frontière amazonienne que le Brésil partage avec ces pays, la cocaïne pénètre les grandes villes du littoral. Elle mutile, tue les jeunes par milliers, plaçant des fortunes corruptrices entre les mains des politiciens, des militaires et des brigands locaux. Le sourire énigmatique, le regard contrôlé, Romer me dit : « Même l'Église n'est pas à l'abri du fléau. J'ai dû me rendre à Genève récemment. »

Quelques jours plus tard, au restaurant Faro, sur l'Avenida Atlantica à Copacabana, je dîne avec Dalva, assistante sociale de la paroisse de Santa Cruz. La paroisse, l'une des plus peuplées de Rio, s'étend sur les quartiers chics, bourgeois et cossus de Siqueira Campos, de Figueiredo de Maghalaëns... mais aussi sur un immense bidonville accroché à la montagne pelée de Cabritos[1].

Dalva est sombre. Triste. Elle touche à peine son *peixe dorado*. Je ne l'ai jamais vue ainsi. Je m'inquiète. Elle me dit : « Ce sont maintenant les petits garçons, les filles de douze, quatorze ans qui sont abattus, se tuent entre eux, exécutent leurs camarades. Ils sont devenus des *aviãos*. »

Un *avião*[2] ? Les caïds de la drogue envahissent les favelas, distribuent gratuitement la cocaïne aux jeunes... pendant un temps. Ces jeunes sont pauvres à en crever. Une fois drogués, ils feront n'importe quoi pour pouvoir continuer à s'empoisonner, à oublier — pour quelques heures du moins — leur faim et leur désespoir. Les caïds les utilisent alors comme convoyeurs de came, d'argent et d'armes dans l'immense mégapole. Les plus violents d'entre eux deviennent, à l'âge de douze ou treize ans, des capos, des surveillants et, parfois, les exécuteurs de leurs copains.

Transportant des milliers de cruzados novos sous sa chemise crasseuse, le petit *avião* tenaillé par la faim, se souvenant de sa mère, de ses frères affamés, ne résiste pas toujours à prélever quelques cruzados sur le trésor qu'il transporte

1. « Morro dos Cabritos » veut dire : montagne des chèvres.
2. Un avion en brésilien.

pour acheter du pain ou un sac de riz pour sa famille. Il est alors abattu par le capo.

« Ce sont les anciens de la crèche, les petits mecs que tu connais, qui maintenant se font abattre. » Dalva, d'une voix douce, égrène les noms des dernières victimes trouvées une balle entre les yeux, le visage brûlé, dans le ravin qui borde la favela « dos Cabritos ».

Je rentre à Genève le 16 août. Le 17, la *Tribune de Genève* publie sous un titre barrant toute la page : « Réseau brésilien de narco-dollars démantelé à Genève. »

Cette « découverte » a une histoire. La DEA américaine et la Guardia di finanza italienne surveillaient le réseau brésilien depuis deux ans. En 1987, il est partiellement démantelé. Mais, dans l'espoir (déçu par la suite) de remonter jusqu'aux parrains brésiliens, les enquêteurs gardent le silence.

Décembre 1987 : l'avion Swissair en provenance de Rio de Janeiro connaît un problème à l'atterrissage à Genève-Cointrin — la soute à bagages refuse de s'ouvrir. Swissair prend le nom et l'adresse de tous les passagers, promet de leur faire porter dans la journée leurs bagages bloqués dans la soute. Parmi les passagers, il y a un abbé de soixante-dix-sept ans, curé d'une paroisse de Rio de Janeiro, qui s'installe dans un petit hôtel du quartier des Pâquis. Il porte le beau nom de *Lino Christ*.

Ce ne sont pas les employés de la Swissair qui, quelques heures plus tard, lui apportent ses trois valises, mais deux inspecteurs de la Sûreté. Ils lui passent les menottes aux poignets. Le saint homme est une mule émérite du réseau brésilien. Ses valises, qui contiennent 9 kilos de cocaïne pure, valent près d'un million de dollars.

Cinq autres transporteurs, hommes et femmes, sont arrêtés dans la semaine. Ils seront condamnés, au printemps 1988, à des peines allant de dix à quinze ans de prison.

Je lis l'article et me souviens de la mystérieuse parole de l'évêque Joseph Romer. J'apprends que l'évêque, mon ami, est venu à la prison de Champ-Dollon prier et dire la messe avec Lino Christ, son curé égaré et néanmoins fidèle dans la foi.

Pendant des années, ce réseau brésilien avait fonctionné sans accroc, de manière classique. La drogue, transportée par des citoyens latino-américains déguisés en touristes, débarquait à Genève-Cointrin. De là, elle était acheminée à Milan, vendue sur le marché d'Italie du Nord, en France et en RFA. D'autres Brésiliens apportaient en Suisse des valises bourrées de coupures de lires, de francs français, de deutschemarks.

Le réseau avait une banque attitrée : le bureau de change de la banque Migros, au 16, rue du Mont-Blanc à Genève. C'est là que, pendant deux années, les convoyeurs ont vidé leurs valises ; des sommes équivalant à 500 000 francs suisses y étaient changées deux fois par semaine. Avec une rassurante régularité, ces sommes étaient portées sur le compte n° 132.77201 — nom de code « Austral » — de la banque Banesto Banking Corporation à New York. Le titulaire du compte ? Une société brésilienne du nom de Walter Exprinter.

C'est là que s'arrête l'enquête : derrière la Walter Exprinter se cacherait — conformément aux informations détenues par la justice italienne et la DEA — des généraux de l'armée brésilienne. La justice brésilienne, prudente, refuse donc de collaborer à l'enquête. Quant à la banque suisse, interrogée par les journalistes, elle communique que ses « bureaux de change ont agi correctement et consciencieusement » et que « rien ne peut leur être reproché[1] ».

Post-scriptum : comme les services secrets des différents

---

1. Cf. *Tribune de Genève,* 18 août 1989.

États, les organisations intercontinentales des agents de la mort ont, dans la plupart des États industriels, des représentants permanents qui surveillent, sans être connus ni des convoyeurs, ni des vendeurs, ni même des émirs, l'ensemble des opérations dans un pays donné. Le résident en Suisse du réseau brésilien s'appelait *Michel Frank*. Fils de riches industriels helvéto-brésiliens, né au Brésil, il était recherché depuis 1976 par la police de l'État de Rio de Janeiro pour le meurtre par étranglement d'une jeune Brésilienne. Frank, depuis des années, habitait une demeure confortable dans la vieille ville de Zurich. Les parrains du Brésil ne lui ont probablement pas pardonné le démantèlement du réseau européen : le dimanche matin 24 septembre 1989, le cadavre criblé de balles de Frank est retrouvé dans le garage souterrain de sa maison.

5

Les amis suisses du cartel de Medellin

Sur la grand-place du bourg rural de Soacha, situé à quelques kilomètres de Bogota, le sénateur Luis Carlos Galan, quarante-six ans, candidat à la présidence de la Colombie, tient un meeting électoral, le vendredi 18 août 1989, en fin d'après-midi. Galan est un homme courageux, populaire, de belle stature, au visage ouvert et sympathique. C'est un ennemi décidé des barons du cartel de Medellin. Tous les sondages le donnent gagnant dans la course à l'élection présidentielle prévue en mai 1990. La foule est dense, endimanchée. Une foule typique de la haute vallée de Santa Fé de Bogota, semblable à celle que Gabriel Garcia Marquez immortalise dans *L'Amour au temps du choléra* : des bourgeois urbains avec leurs parapluies, des petits planteurs aux chapeaux de feutre, des paysans, leur unique chemise blanche fraîchement repassée, des femmes et leurs foulards multicolores, des ribambelles de gamins, braillant, pieds nus, courant dans tous les sens. Des drapeaux par centaines flottent au vent de la sierra. L'après-midi est ensoleillé, mais frais. On attend le candidat. Galan, entouré de ses gardes du corps, d'amis, d'admirateurs, de badauds, avance vers l'estrade. Il monte les quelques marches. La foule joyeuse, excitée, affectueuse l'applaudit sans fin, lui lance des vivats au son de la guitare. Galan sourit, lève les bras... et s'écroule, le visage et le corps transpercés par des dizaines de balles. Les tueurs sont postés au premier rang. Ils tirent au pistolet-mitrailleur Uzi. Avec une précision et un sang-froid impressionnants. Un cameraman de la télévision nationale installé sur l'estrade, blême, tremblant de peur, filmera toute la scène[1]

Les tueurs se perdent dans la foule. Ils appartiennent aux services dits de sécurité du cartel de Medellin, bastion des trafiquants de la vallée du Magdalena en Colombie. Ces tueurs tirent vite, de sang-froid, et visent juste. Ils ont été entraînés par les mercenaires israéliens d'un colonel en retraite, Yaïr Klein[2].

Le 25 août, le président en exercice, Virgilio Barco, déclare la « guerre totale » aux barons de la drogue. Il proclame l'état de siège. Les convoyeurs, les financiers, les tueurs du cartel sont pourchassés par une armée et une police colombiennes investies de pouvoirs exceptionnels. Le couvre-feu est instauré sur toute la région de Medellin. Les patrouilles ont ordre de tirer à vue sur toute personne ne répondant pas aux sommations.

Afin d'obtenir la plus large adhésion de l'opinion publique à la « guerre totale », les gouvernements de Washington et de Bogota publient tous les documents dont ils disposent (à l'exception de ceux qui sont couverts par le secret des instructions en cours) concernant la stratégie et l'infrastructure du cartel de Medellin.

Depuis 1982, la Colombie est le plus grand exportateur de cocaïne du monde. Les barons de la drogue forment un État

---

1. Pour le déroulement exact de l'attentat, cf. la revue *Cromos*, Bogota, 28 août 1989 ; et le numéro spécial du journal *El Tiempo*, Bogota, 21 août 1989.
2. On lira sur ce point l'enquête de *Der Spiegel* sur les *sicarios*, tueurs des milices du cartel de Medellin, 4 septembre 1989.

dans l'État. Leurs armes : *plata y plomo* (argent et plomb). Soit ils corrompent, soit ils tuent. Depuis 1982, ils ont fait assassiner 18 000 personnes, dont 221 juges et plus de 2 000 policiers.

Durant la première semaine de « guerre totale », l'armée arrête plus de 11 000 personnes, confisque plus de 14 000 véhicules, avions, hélicoptères, 37 yachts et bateaux de haute mer, occupe et exproprie 287 grandes propriétés agricoles et des centaines d'immeubles urbains. 47 aéroports clandestins sont détruits en Amazonie, dans la basse vallée du Magdalena, sur les hauts plateaux de Santander.

Le soir, devant leur télévision, les habitants de Bogota, d'Antioquia, de Medellin (mais aussi de New York, de Lima, de Mexico, etc.) n'en croient pas leurs yeux : les équipes de la télévision colombienne et de la NBC nord-américaine transmettent en direct les opérations de confiscation (au profit de l'État colombien) des châteaux, plantations, palais urbains, élevages de pur-sang des parrains. Au « Castillon Maroquin » (château marocain) appartenant à Camillo Uapata Vasquez, l'un des banquiers du cartel, les téléspectateurs découvrent trois piscines géantes, dont les fonds, les rebords et les plongeoirs sont revêtus de paillettes d'or. Autre découverte, plus inquiétante : le livre d'hôtes aligne les noms de plusieurs ministres colombiens et étrangers, de chefs de l'armée et de la police. La « Hacienda Napoles », dans la vallée du Magdalena, avec son aéroport pour Boeing 720, son arène de tauromachie, ses 10 000 hectares de terres arables, appartient à Pablo Escobar Gaviria. Escobar, ami des bêtes, y entretient un zoo privé : cinq cents animaux, dont des éléphants, des boas, des girafes importés d'Afrique. Au premier étage du palais de Gonzalo Rodriguez Gacha, les troupes de choc de l'armée colombienne saisissent le lit personnel du parrain : il est fabriqué en argent pur.

Selon la revue *Fortune*, trois des deux cents personnes les plus riches de la terre sont des barons colombiens de la cocaïne.

L'infrastructure du cartel prend des coups sérieux. Située entre Puerto Para et Puerto Arango, à 300 kilomètres au nord de Bogota, la propriété « Olinda » s'étend sur 12 000 hectares. Elle abrite l'un des plus grands laboratoires clandestins du monde jamais saisis par une police. 20 réservoirs souterrains y sont camouflés : chacun d'eux contient 20 000 gallons de produits chimiques indispensables à la confection de la drogue : éther, pétrole, acétone, etc. 1,2 tonne de pâte de cocaïne est saisie à cette occasion, ainsi que des appareils et matériaux de raffinage ultra-moderne.

L'approvisionnement en produits chimiques nécessaires au raffinage de la drogue constitue aujourd'hui le principal souci des trafiquants. Seules quelques grandes sociétés multinationales en fabriquent — à des prix prohibitifs. Ces produits — et notamment l'éther — se négocient au marché noir à des prix extrêmement élevés. Le gigantesque laboratoire d'« Olinda » est l'œuvre d'un chimiste de génie, *Humberto Sanchez*. Il est aujourd'hui incarcéré aux États-Unis.

Mais la « guerre totale » contre le cartel de Medellin, déclenchée par le président Virgilio Barco, appuyé par les experts nord-américains et 110 millions de dollars de crédits spéciaux libérés par le président George Bush, se termine dans l'échec. Des neuf principaux dirigeants du cartel, seul Eduardo Martinez Romero, jeune et talentueux banquier, qui, aux États-Unis, est accusé d'avoir blanchi en Europe, durant la seule année 1988, 1,2 milliard de dollars provenant du trafic de drogue, est arrêté[1]. Dans la nuit du 6 au 7 sep-

---

1. Cinq autres cadres de moindre rang seront livrés à la justice américaine au cours des mois de septembre et d'octobre 1989.

tembre, il est livré par avion spécial à la justice américaine. Les autres barons — José Rodriguez, Evaristo Poras, Victor Eduardo Vero, Ramon Fernando, Jorge Luis Ochoa, Rodriguez Garcia, etc. — échappent à l'arrestation, disparaissent dans leurs bases de repli en Amazonie brésilienne ou au Panama (auprès de leur allié Noriega).

Un seul baron relève le défi : *Pablo Escobar Gaviria*. Personnage étonnant ! Cet homme de stature moyenne, aux petits yeux couleur de charbon, aux mains énormes, au cou puissant est un ancien ouvrier agricole devenu petit paysan. Promu *sicario* (tueur à gages) au service d'un trafiquant, il s'élève lentement, en vingt ans, dans la hiérarchie du cartel. Sa cruauté, sa brutalité, son total mépris de la vie humaine lui permettent de s'affirmer dans la guerre des bandes, d'éliminer un à un ses principaux collègues et rivaux. C'est lui qui a l'idée de transformer les *sicarios* en unités de commando bien entraînées, équipées d'armes modernes et formées aux techniques de sabotage. On lui doit aussi l'école de torture de Puerto Bocaya.

Au début des années quatre-vingt, un baron, chef de bande, supérieurement intelligent, cultivé, fils d'immigrants allemands, du nom de Carlos Lehder, conçoit l'idée du cartel : au lieu de se combattre, les chefs de bandes ont intérêt à unifier leurs réseaux commerciaux, l'administration de leurs laboratoires, le commandement de leurs milices. Plusieurs barons rechignent : Lehder s'allie alors au brutal Escobar pour les abattre.

Idée malheureuse : dès que le cartel commence à fonctionner, Escobar trahit Lehder. La sombre histoire de l'occasionnelle collaboration d'Escobar avec la DEA nord-américaine est mal connue. Le fait est que Lehder, trahi, tombe entre les mains de la DEA. Il est emprisonné à vie aux États-Unis.

Les paysans, commerçants, chômeurs de la moyenne vallée du Magdalena vénèrent Escobar. Ils l'appellent « Don Pablo ». Pourtant, Escobar est un fasciste ultra-réactionnaire, qui met ses *sicarios* à la disposition des grands propriétaires pour éliminer, assassiner les syndicalistes paysans, les familles de petits propriétaires qui gênent l'extension des grandes haciendas. Mais Don Pablo paie : des crèches, des clubs de football, des églises, des *commedors populares* (cantines populaires) par centaines dans les quartiers misérables de Medellin, de Cali et dans les villages de la vallée.

Le matin du 28 août, à la centrale d'écoute du DAS (services secrets colombiens), les agents captent un étonnant message : c'est Don Pablo qui parle. Ils identifient clairement sa voix. Don Pablo demande au DAS lui-même de transmettre un message au président Virgilio Barco. Don Pablo veut négocier l'armistice : l'impunité contre l'arrêt du trafic de drogue sur le territoire colombien[1].

Virgilio Barco, appuyé par George Bush, refuse. Derrière Barco se trouve une femme exceptionnellement intelligente, déterminée, audacieuse : Monica de Grieff, trente-six ans, ministre de la Justice. Elle est le sixième ministre de la Justice depuis 1986, début du mandat de Barco. L'un de ses prédécesseurs, Rodrigo Lara Bonnillo, a été assassiné par les *sicarios* ; un autre, Enrique Parijo, grièvement blessé. Les autres ministres de la Justice — peu doués pour une vie de kamikaze — ont successivement cédé au chantage : le cartel a la délicieuse habitude d'envoyer une photo de famille et un petit cercueil en bois noir à ses futures victimes. L'un après l'autre, les ministres ont démissionné.

---

1. La transcription de la conversation entre Don Pablo et l'agent de service du central du DAS (conversation par radio-téléphone) est publiée par *Libération*, 30 août 1989.

Après l'assassinat de dix-huit juges en deux ans, Monica organise les « maisons fortes » où travaillent, vivent avec leur famille (et jugent) les juges chargés des dossiers des narco-trafiquants. Ces maisons, regroupées, sont protégées jour et nuit par les unités d'élite de l'armée colombienne.

Le 22 septembre, pourtant, Monica de Grieff craque : elle démissionne et se réfugie avec sa famille aux États-Unis.

Pourquoi Don Pablo reste-t-il impuni ?

Répugnant à s'enfuir du pays (comme ses autres collègues du cartel), il se terre dans son bunker de Magdalena-Rio, au centre du pays. Pendant ce temps, ses troupes (ou ce qu'il en reste) continuent à incendier des bâtiments publics, à faire exploser des voitures bourrées de dynamite... afin de « riposter » à l'ennemi, c'est-à-dire à l'État colombien. « Personne ne va chercher Don Pablo », constate sobrement un haut fonctionnaire de la police, cité par *Der Spiegel*[1].

Cette étonnante prudence se justifie pleinement. Car le bunker de Don Pablo, qui abrite ses courtisans, sa famille et ses associés les plus proches, est protégé par une troupe redoutable, disposant d'un armement sophistiqué et formée par des officiers israéliens vétérans de la guerre du Liban et de la chasse aux Palestiniens.

Une société de protection d'un type particulier, « Hod Hahanit » (mot hébreu signifiant « fer de lance »), regroupe les mercenaires israéliens d'Amérique latine. Son PDG : un ancien colonel de parachutistes de quarante-quatre ans, Yaïr Klein. Ses principaux associés : Pessach Ben-Or, pendant longtemps chef des experts militaires auprès de la « Contra »

---

1. *Der Spiegel*, 28 août 1989.

nicaraguayenne, puis de l'armée guatémaltèque, et Mike Harari, bras droit, pour les questions dites de « sécurité », du général Noriega au Panama. Le colonel Harari a dirigé pendant trente et un ans la « division opérationnelle » des services secrets israéliens (Mossad). Yaïr Klein s'est également assuré les services de l'ancien général de brigade Mosché Spektor, celui-là même qui commandait le retrait israélien du Sud-Liban[1].

Les *sicarios*, entraînés et formés aux tâches les plus diverses (torture et interrogatoires des prisonniers et des otages ; attaques à main armée ; assassinats) par les anciens officiers israéliens, sont regroupés dans des bataillons de 500 à 600 hommes. Ils disposent d'un matériel de communication et de transport ultra-moderne, de fusées à courte portée, d'armes de main sophistiquées.

Les parrains du cartel, profondément impressionnés par les « prouesses » des officiers israéliens dans la répression au Liban et en Palestine, savent se montrer généreux. Leurs mercenaires sont payés en moyenne 6 000 dollars par mois et bénéficient d'une avance de trois mois. Tous les six mois, ils touchent une prime de 10 000 dollars[2]. Certains anciens officiers israéliens, particulièrement expérimentés, touchent jusqu'à 20 000 dollars par mois. Les enquêteurs du *Spiegel* notent : « Une fois prélevé l'argent de poche, ces sommes sont régulièrement et directement versées sur les comptes suisses [des mercenaires]. »

---

1. Pour la carrière de Yaïr Klein, l'activité des mercenaires israéliens en Colombie, au Guatemala, au Panama, etc., cf. *Newsweek*, 2 octobre 1989.
2. Cf. *Libération*, 27 août 1989.

COMME LA PESTE, LA DROGUE

En Suisse, l'assassinat de Galan réveille la conscience de *Peter Gasser*, quarante-sept ans. Gasser est l'un des procureurs du canton de Zurich. Avec un courage admirable, l'homme prend la plume, vide son sac et publie dans la *Weltwoche* du 24 août 1989 un étonnant aveu : entre 1981 et 1988, la justice zurichoise a restitué à des trafiquants 16 millions de francs suisses mis provisoirement sous séquestre. Les sommes en question, bloquées à la demande de la justice américaine et appartenant à des trafiquants déjà condamnés par des tribunaux américains, ont été libérées à la demande de la Cour de cassation de Zurich. « Libérées », le mot est faible, car non seulement le butin a été rendu à des hommes condamnés et emprisonnés pour de longues années dans des pénitenciers américains, mais l'État de Zurich leur a payé des intérêts. De 1981 à 1988, 27 demandes de restitution ont été portées (en appel) devant la plus haute instance judiciaire zurichoise. Dans 17 cas, celle-ci a opté pour la restitution...

L'article 24 de la loi fédérale sur les stupéfiants du 3 octobre 1951 est formel : « Les avantages pécuniaires illicites qui se trouvent en Suisse seront également acquis à l'État lorsque l'infraction aura été commise à l'étranger. A défaut de for, selon l'article 348 du Code pénal suisse, le canton dans lequel se trouvent ces biens est compétent pour la confiscation. » En d'autres termes : les avoirs déposés en Suisse par un trafiquant de drogue condamné à l'étranger doivent être confisqués. En Suisse, la souveraineté judiciaire et policière appartient aux États membres de la Confédération, c'est-à-dire aux cantons. C'est donc le canton où est domiciliée la banque abritant le butin du trafiquant qui confisque l'argent. Il est généralement versé aux œuvres de la police. Mais la loi de procédure zurichoise est compliquée. Elle laisse une large marge de manœuvre à l'interprétation. Admirez la perfor-

84

mance ! Des trafiquants du cartel de Medellin sont condamnés par la justice américaine. Dans le monde entier, leurs comptes sont mis sous séquestre, leurs fortunes confisquées. Une grande partie de leurs comptes étant ouverts dans les grandes banques zurichoises, la justice américaine demande le séquestre. Dans un premier temps, étant donné la vigueur de la pression américaine, le séquestre est accordé. Mais les émirs de Zurich (Genève, Lugano, etc.) répugnent à perdre des clients aussi éminents. Ils mobilisent leurs bataillons de juristes. Leurs avocats font recours, plaident avec talent la cause des seigneurs de Medellin. Et finissent par l'emporter.

En première instance, explique le procureur Gasser, la bataille est généralement perdue. L'affaire est donc portée en appel et, finalement, devant la Cour de cassation. Or, à Zurich, la Cour de cassation n'est pas composée de magistrats professionnels, mais de personnes élues par le Parlement, choisies en dehors de la magistrature : ce sont, la plupart du temps, des avocats d'affaires. Le téméraire Peter Gasser dit : « Ce sont souvent les mêmes avocats qui gagnent leurs juteux honoraires au service de la défense de l'argent de la drogue qui siègent ensuite à la Cour de cassation et décident de la restitution de cet argent. »

Un jugement de la Cour de cassation de Zurich en date du 28 septembre 1984 illustrera le propos. Au cours d'une enquête internationale menée contre un réseau de trafiquants d'héroïne, les comptes d'un puissant personnage de la mafia ont été provisoirement bloqués dans plusieurs banques zurichoises, à la demande d'un juge américain. Le procès a lieu aux États-Unis. Le mafioso est condamné par le tribunal américain à de longues années de prison. La justice américaine demande bientôt la confiscation définitive du butin. La Cour de cassation délibère gravement. Elle examine les preuves : un long et substantiel rapport du département de la Justice de Washington, accompagnant le jugement du tribunal américain. La Cour de cassation de Zurich statue : les moyens de preuve n'émanant pas d'une autorité suisse, on ne saurait leur accorder la moindre validité. Le séquestre provisoire est levé, aucune expropriation ne sera prononcée... et les millions de dollars, butin du trafic de l'héroïne, seront rendus, avec intérêts, au mafioso incarcéré aux États-Unis. En fait, ils seront conservés à Zurich, à la disposition des survivants du réseau démantelé...

Pour le cartel de Medellin, l'opération de récupération se révélera tout de même plus compliquée que prévu. Le mercredi 29 novembre 1989, à 12 h 30, un commando de six policiers fait irruption revolver au poing dans une suite d'un palace de Lugano. Sur une table, ils trouvent 3 kilos de cocaïne pure. Parmi les financiers et parrains arrêtés, un jeune homme élégant et svelte : Severo Escobar, trente ans, dit « Escobar IV », neveu de Pablo Escobar Gaviria. La DEA le considère comme le numéro 6 mondial du trafic de cocaïne. Son père, « Escobar III », purge actuellement une peine de trente ans dans un pénitencier des États-Unis. Avec Severo tombent quatre autres grands dirigeants du cartel, dont son chimiste en chef, le talentueux José Luiz de la Lombana[1].

---

1. Enquête de Pascal Auchlin, *Tribune de Genève*, 6 et 7 décembre 1989 ; Mireille Lemaresquier, *Radio France*, 6 décembre 1989.

6

La gangrène

Lundi 27 novembre 1989 : François Mitterrand inaugure au bord du Rhône, à Lyon, le nouveau siège mondial d'Interpol. Pierre Joxe et Georgina Dufoix, responsable du dossier drogue, l'accompagnent. L'après-midi est gris, froid. Le ton du discours présidentiel est celui de Caracas et de Bogota. Au nom de la civilisation, François Mitterrand conduit la campagne contre cet « ennemi des peuples », ce « fléau » qu'est le trafic intercontinental de la drogue. François Mitterrand : « J'ai été profondément frappé par le courage et la dignité des dirigeants de [Colombie]. Ce combat, c'est le vôtre, pour notre honneur. [...] Ne perdons pas de temps. Nous n'avons pas le droit d'en perdre. [...] Cessons ces actions disséminées et disparates ! Le péril ne connaît pas de frontières. » Pour le président, la victoire des trafiquants serait la marque d'« un échec de civilisation » : « J'appelle tous les pays, ceux d'Asie, d'Amérique latine, d'Afrique d'où vient aussi le mal, à un sursaut collectif. Il faut un effort qui les engage tous. La répression est un aspect incontournable de la lutte, mais ce n'est pas le seul [...]. Et pourquoi les nations civilisées seraient-elles faibles, démunies[1] ? »

Trois mois auparavant, le 26 août 1989, François Mitter-

---

1. François Mitterrand, in *Le Monde*, 29 novembre 1989.

rand déclarait devant l'Arche de La Défense : « Aucun compromis n'est possible avec les agents de la mort. » Sa conviction est aujourd'hui partagée par tous les pays d'Europe. Sauf par la Suisse.

A la mi-septembre 1989, Pierre Joxe, ministre français de l'Intérieur, annonce son plan de bataille : doublement des effectifs de l'Office central pour la répression du trafic illicite de stupéfiants ; création d'un nouvel Office central, dit « de répression de la grande délinquance financière », afin de débusquer et de détruire les circuits de blanchiment et de réinvestissement des narco-dollars ; organisation de groupes de recherches et d'investigations financières chargés de pister l'argent de la drogue, auprès des principaux services de police judiciaire de Marseille, Bordeaux, Lyon et Versailles ; fichage national de tous les auteurs d'infractions à la législation sur les stupéfiants, quelle que soit leur nationalité. Pierre Joxe : « L'éradication du trafic de la drogue est une part très importante, la plus importante peut-être, de ma fonction de ministre de l'Intérieur[1]. » Durant les neuf premiers mois de 1989, la police française saisit 7 tonnes de stupéfiants (dont 723 kilos de cocaïne) valant plus d'un milliard de francs français, soit plus du double de toutes les saisies de stupéfiants effectuées en 1988. Par ailleurs, la France installe à Lyon le laboratoire d'analyse de la drogue le mieux équipé, le plus moderne, le plus vaste d'Europe.

Grâce aux services de Pierre Joxe, l'une des routes d'exportation de la cocaïne colombienne est définitivement coupée : le 6 décembre 1987, la police française procède à la saisie record (faisant suite à une longue et complexe enquête internationale, qui impliquait des diplomates colombiens en poste à Bonn, des banquiers de Zurich) d'un chargement de

1. Pierre Joxe à *Libération*, 11 septembre 1989.

445 kilos de cocaïne sur la petite île de Marie-Galante, voisine de la Guadeloupe. Le 18 mai 1989, le tribunal de Pointe-à-Pitre condamne à vingt ans de prison le parrain de Medellin, Pablo Escobar Gaviria. Jugement par contumace.

En Italie, la Guardia di finanza (police financière) et les différents services de police dépendant du ministère de l'Intérieur redoublent, eux aussi, d'efforts pour infiltrer, démanteler les réseaux d'acheminement de la drogue et ceux de transport et de blanchiment des fortunes gagnées au trafic de la mort. L'Italie reste l'un des plus importants centres de transit, mais aussi de raffinage de la drogue en Europe : on estime à plus de 300 000 les consommateurs réguliers d'héroïne en Italie. Le volume total annuel du marché italien de l'héroïne est chiffré, pour 1988, à plus de 22 tonnes. En 1988, les trafiquants internationaux ont encaissé, grâce à la consommation et au transit de la drogue en Italie, une somme estimée supérieure à 60 milliards de francs suisses, dont une grande partie est blanchie en Suisse.

Le gouvernement de Bonn soumet à ses partenaires de la CEE le projet de création d'une police européenne de lutte contre le trafic de la drogue et le blanchiment des profits illégaux. Quant au groupe des experts financiers, chargé par le sommet des chefs d'État et de gouvernement des sept pays les plus industrialisés, en juillet 1989, de pénétrer et de paralyser la machine à blanchir les narco-dollars, il se réunit désormais régulièrement et travaille avec acharnement.

Et la Suisse ? Elle résiste victorieusement à toute mesure efficace de lutte contre le blanchiment de l'argent de la mort. Le Conseil fédéral, composé de sept hommes au-dessus de tout soupçon, déterminés et profondément honnêtes, ne peut pas grand-chose contre les émirs bancaires. Printemps 1989 : le scandale international provoqué par les affaires Magharian, Musullulu, Shammah, Simonian, Escobar, etc., rend inévitable l'élaboration d'un projet de loi contre le blanchiment de l'argent de la drogue. Mais, avant même que ce projet n'arrive au Parlement, les émirs — publiquement et par des interventions énergiques à Berne — opposent leur veto. Ils distinguent clairement les éventuelles dispositions qu'ils sont prêts à accepter de celles qu'ils refusent. Ils seront entendus. Le projet de loi est fait à leurs mesures.

Lors du débat préparatoire de la nouvelle loi[1] au sein des commissions du Conseil national puis du Conseil des États (les deux Chambres composant l'Assemblée fédérale), de rares députés socialistes réclament à cor et à cri la création d'un délit de blanchiment commis par négligence. L'article 18 du Code pénal définit ainsi la négligence : « Celui-là commet un crime ou un délit par négligence, qui, par une imprévoyance coupable, agit sans se rendre compte ou sans tenir compte des conséquences de son acte. L'imprévoyance est coupable quand l'auteur de l'acte n'a pas usé des précautions commandées par les circonstances et par sa situation personnelle. »

Rien n'y fait : la majorité conservatrice des deux Chambres, fortement liée aux grandes banques multinationales et animée d'un sain respect pour les ukases des émirs, refuse cette proposition. Ne seront donc punis que les banquiers et employés de banque qui procéderont *intentionnellement* au lavage des milliards de la mort.

Qu'est-ce à dire ? Pour être punis, le banquier ou son employé doivent avoir une connaissance directe du trafic de la drogue et manifester la ferme volonté de le favoriser ! Je ne crois pas qu'il existe au monde un banquier assez stupide

---

1. Techniquement, la nouvelle loi prend la forme d'une révision partielle du Code pénal, notamment par la création d'un nouvel article 305 *bis*.

pour manifester de façon publique une telle intention. Où est l'émir de l'Union de banques suisses, du Crédit suisse, de la Société de banque suisse qui afficherait publiquement son amitié pour Pablo Escobar ou sa relation d'affaires avec Yasar Musullulu ?

Qu'en sera-t-il par conséquent des milliards en petites et moyennes coupures de dollars, de lires, de francs français, de cruzados, de marks allemands, etc., que les convoyeurs des trafiquants apporteront comme par le passé, chaque jour ouvrable, dans les temples bancaires du Paradeplatz de Zurich, de la Corraterie de Genève, du Bahrfuesserplatz de Bâle ? Eh bien ! ce magot sera reçu, lavé proprement et réinvesti aux quatre coins du monde — pour le plus grand bénéfice des agents de la mort (et des émirs helvétiques).

Pour les amateurs de désuètes subtilités parlementaires, j'ajoute une remarque. Aux députés minoritaires qui réclamaient l'introduction du délit de blanchiment par négligence, le démocrate-chrétien Gianfranco Cotti, conseiller national tessinois et prospère avocat d'affaires à Locarno, répliqua : « Nous allons créer une obligation légale d'information ; celle-ci remplira la même fonction que la sanction du délit commis par négligence[1]. » Admirable sang-froid des avocats d'affaires promus représentants du peuple !

Désormais, donc, le banquier et son employé sont obligés de demander poliment aux agents de la mort qui se présentent dans leurs salons, à leurs guichets, d'où ils tiennent leur butin. L'agent de la mort répond n'importe quoi, le banquier écoute courtoisement... et encaisse l'argent. Il a rempli son devoir de s'informer.

---

1. Gianfranco Cotti au téléjournal de midi de la Télévision suisse romande, le 12 septembre 1989 ; président de la commission du Conseil national chargée de la loi, Cotti joua dans son édulcoration un rôle important.

Autre remarque, pour les amoureux du folklore helvétique : lorsque, contraint par les nombreux et récents scandales, le Conseil fédéral publie, le 12 juin 1989, ses attendus et son projet de loi, le Groupement des banquiers privés de Genève lui adresse une lettre indignée : « La Suisse va une fois de plus se doter d'une *lex americana.* » Les banquiers genevois s'élèvent également contre l'utilisation dans la loi du terme de « blanchiment » (ils proposent : « recyclage[1] »). « Blanchiment » implique l'existence de quelque chose de sale qui préexiste au blanchiment. Or, cette idée est intolérable aux aristocratiques héritiers de Calvin ! Dans leur lettre, ces messieurs de Genève ne contestent nullement que de l'argent sale puisse être blanchi. Probablement tiennent-ils cette activité lucrative pour tout à fait agréable à Dieu. Non, ce qu'ils contestent, c'est le terme, car tout ce qu'ils font est propre, par définition même.

Rappel : aux États-Unis, quiconque dépose une somme supérieure à 10 000 dollars sur un compte bancaire est *obligé de prouver* la provenance légale du dépôt. Rien de tel en Suisse. J'insiste : les financiers des trafiquants pourront, sans être inquiétés, continuer à déposer tranquillement au guichet leurs petites coupures en devises et encaisser normalement leurs intérêts. Seule, désormais, sera punie l'acceptation « intentionnelle » d'argent de la drogue. L'acceptation par négligence reste impunie. Autrement dit : si le banquier est activement complice dans l'organisation d'un réseau de drogue, il sera passible de poursuite ; si, en revanche, il ne fait qu'accepter l'argent qu'on lui apporte, il ne risque strictement rien. En bref : les émirs de Zurich, Bâle, Genève, Lugano peuvent dormir sur leurs deux oreilles. La gigan-

1. *Domaine public* (hebdomadaire), 7 septembre 1989.

tesque et sanglante machine à blanchir les milliards de la mort ne sera pas grippée par la nouvelle loi.

Robert Studer, président de la direction générale de l'Union de banques suisses, première banque du pays, se montre généreux : « Nous acceptons le projet de loi du Conseil fédéral parce qu'il ne punit pas l'acceptation par négligence d'argent sale. » A Nik Niethammer et Juerg Zbinden, les deux reporters de la *Neue Schweizer Illustrierte* qui l'interrogent, il fait un étonnant aveu : « Nous ne voulons pas que les 110 000 employés de banque de Suisse se transforment en autant de détectives. Si la négligence était elle aussi punissable, chacun d'entre eux aurait en permanence un pied en prison. »

Pascal Auchlin, subtil explorateur de la jungle financière helvétique, constate : « Ce sont des milliards de francs [provenant du trafic international de la drogue] qui nourrissent et pourrissent l'économie suisse[1]. » Le torrent des narco-dollars est le fleuve nourricier de la terre suisse, véritable Nil. Il serait erroné de croire que seuls quelques grands empires multinationaux sont irrigués par ces torrents boueux. Avant de déboucher dans l'océan des grandes banques, beaucoup de ces fleuves empruntent un chenal afin de bénéficier d'une sorte de prélavage : les sociétés financières, gérantes de fortunes, marchandes de devises, fiduciaires.

Il existe une loi fédérale sur les banques et les caisses d'épargne fixant les règles minimales de la pratique bancaire, ainsi qu'une Commission fédérale des banques, chargée — en

---

1. Pascal Auchlin, « Recyclages de narco-dollars : Zurich bat Genève », in *Tribune de Genève*, 23 août 1989.

principe — de surveiller l'application de ces règles[1]. Or, l'Émirat helvétique compte des milliers d'instituts financiers, qui ont pour particularité de n'être soumis ni à cette loi ni au très symbolique contrôle de la Commission. Ces instituts — appelés collectivement « sociétés financières » — exercent un grand pouvoir d'attraction sur les agents de la mort.

Contrairement aux banques, elles ne disposent pas de l'infrastructure technologique, du réseau mondial de succursales, du savoir-faire, du système de communication, de l'accès aux Bourses, etc., indispensables pour le recyclage des milliards de narco-dollars. Leur fonction est plus modeste, mais néanmoins essentielle : elles accueillent le magot des trafiquants ; elles procèdent à un premier lavage en ouvrant en leur nom auprès des banques — avec l'argent sale, mais fiduciairement retraité — des dépôts, comptes à numéro, dossiers de titres, etc. Elles procurent ainsi un double anonymat au trafiquant.

Fondée il y a quarante ans par deux frères originaires de Bagdad, Selim et Yuri Lawi, la société Mirelis SA de Genève est spécialisée dans l'accueil des capitaux provenant du Moyen-Orient. Je cite ici trois documents officiels, largement diffusés, qui nourrissent depuis plus d'un an l'intense débat qui se développe autour de cette société. Ces trois documents sont particulièrement instructifs.

Le premier : celui de la commission d'enquête parlementaire du 22 novembre 1989, qui rapporte qu'en septembre 1988 Jacques-André Kaeslin, fonctionnaire du service antidrogue du Ministère public fédéral, demanda à ses supérieurs l'ouverture d'une enquête de police judiciaire contre plu-

---

1. La Commission fédérale des banques, présidée par un avocat d'affaires démocrate-chrétien, est une institution assez folklorique : composée principalement d'anciens directeurs de banque, d'avocats d'affaires, sa fonction de contrôle est largement symbolique.

sieurs sociétés financières, notamment les Mirelis SA, Metcalf SA, El Ariss SA, Guardag SA et, bien sûr, la Shakarchi Trading SA. Rudolf Gerber, procureur de la Confédération, refusera l'ouverture de l'enquête. Kaeslin aura mis néanmoins au jour des informations intéressantes. La commission d'enquête parlementaire expose la théorie de Kaeslin : « Ces sociétés s'occupaient, en pleine et entière connaissance de la réalité, de blanchir l'argent provenant du trafic de la drogue. Il s'agissait de plusieurs milliards de francs. Ces énormes sommes d'argent étaient ensuite probablement utilisées par les trafiquants de drogue pour financer d'autres affaires du même genre[1]. »

Le deuxième est celui du groupe antidrogue de la Guardia di finanza d'Italie, qui mène depuis des années un combat exemplaire contre les réseaux des agents de la mort en Europe. Révoltée par la passivité des autorités suisses, la Guardia choisit, en 1989, une méthode inhabituelle. Elle publie un rapport détaillé de six cents pages, exposant le résultat de la plupart de ses récentes enquêtes impliquant la Suisse. La Guardia fait en sorte que le rapport parvienne à la presse italienne et suisse. L'hebdomadaire romain *Espresso*, les journaux suisses *24 Heures*, la *Tribune de Genève* et *L'Hebdo*, notamment, en publient de larges extraits[2].

La Guardia di finanza dresse la *géographie précise des principaux lavoirs helvétiques* : les comptes des narco-trafiquants ont été identifiés par la Guardia non seulement à l'UBS, à la SBS et au Crédit suisse, mais également à la banque Leu, à la

1. Rapport de la commission d'enquête parlementaire du 22 novembre 1989, *op. cit.*, p. 96.
2. Détail amusant : la rédaction de *L'Hebdo* décide d'envoyer le rapport en question au procureur général de la République et Canton de Genève afin que — comme le dit un journaliste — « la magistrature genevoise ne [puisse] plus dire qu'elle n'a pas connaissance des résultats des enquêtes italiennes ».

Banque de commerce et de placement, à la Banque populaire suisse, à la banque Louis Dreyfuss, à l'American Express Bank, à la Trade Development Bank de Genève, à la Allgemeene Bank Nederland, succursales de Genève et de Lugano, à la banque de la Suisse italienne. Capitale mondiale indiscutable du blanchiment d'argent sale : Zurich, berceau de Zwingli, haut lieu de l'austère morale protestante.

Le rapport de la Guardia di finanza contient des pages et des pages de photocopies d'extraits de comptes de la Mirelis, appartenant à des narco-trafiquants recherchés, inculpés ou condamnés. Plusieurs des trafiquants les plus notoires ayant joué un rôle clé dans les scandales les plus récents ont un ou plusieurs comptes à la Mirelis.

Ainsi Irfan Parlak, le parrain du réseau turco-libanais, a-t-il versé, entre juillet et novembre 1981, sur son compte (nom de code « TAC ») à la Mirelis, la modeste somme de 10,616 millions de marks, puis, en versements de 300 000 dollars, la somme totale de 4,085 millions de dollars.

Troisième document officiel : le *Mémorial du Grand Conseil de Genève* (journal officiel du Parlement de la République et Canton de Genève). Le 24 février 1989 se déroule une séance de nuit à la suite d'une interpellation du député Erica Deuber-Pauli intitulée : « Blanchiment de l'argent sale — sociétés à Genève — quelles mesures prendre ? » La séance est consacrée essentiellement aux affaires Shammah et Mirelis.

Voici les principaux extraits de l'interpellation du député :

« [...] dans les très nombreuses enquêtes de presse parues depuis maintenant deux mois et demi sur les agissements suisses des trafiquants internationaux de drogue et d'armes, ainsi que sur l'implantation dans notre pays d'un véritable réseau du crime organisé, le nom de Genève est régulièrement cité ; on lit que plusieurs de ces grands trafiquants semblent vivre tranquillement à Genève depuis des années — voire des décennies — sans que les autorités cantonales s'en inquiètent ou sans que la police procède à des recherches approfondies.

« Premier exemple, celui [...] d'Albert Shammah. Il opère depuis 1964 en toute impunité à partir de Genève, à travers sa société Mazalcor SA. Inculpé en Italie sur la présomption de recyclage d'argent sale pour la bande de trafiquants de drogue Soydan-Tirnovali, il est arrêté en octobre 1985 et emprisonné à Champ-Dollon. Cette même enquête devait mener les juges italiens jusqu'à la Shakarchi de Hans Kopp. L'arrestation d'Albert Shammah a été soigneusement tenue secrète.

« Le procureur de la Confédération s'opposant à son extradition, Albert Shammah est libéré. Il pourra en toute impunité détruire les traces compromettantes de ses dossiers, faire disparaître les documents, fermer les comptes, rompre les relations, comme le relève le reportage de Jean-Claude Buffle paru cette semaine dans *L'Hebdo*. Albert Shammah continue donc d'aller et venir aujourd'hui librement dans notre canton. Bien plus, la justice genevoise a refusé de fournir au juge d'instruction enquêtant sur la bande Soydan-Tirnovali les informations qu'il réclamait au sujet des activités de la société d'Albert Shammah à Genève. Apparemment, ce dernier est intouchable.

« Deuxième exemple, la société financière Mirelis SA, installée depuis 1949 à la Corraterie, fondée par deux citoyens iraqiens et vouée à la gestion de fortunes. Comme vous le savez, elle évite tout acte bancaire, pour ne pas tomber sous le coup des dispositions de la loi fédérale sur les banques et échapper à la surveillance de la Commission fédérale des banques. C'est une simple société anonyme, inscrite au registre du commerce de Genève.

« Or, vous le savez également, toute société inscrite au registre du commerce tombe sous la surveillance de l'État, surveillance qui consiste surtout à s'assurer de la conformité des activités indiquées lors de l'inscription de la société au registre du commerce avec ses pratiques effectives. La société Mirelis, sachant d'avance qu'elle ne se contentera pas de se livrer aux activités indiquées dans son acte d'inscription, a pris la précaution, dès 1949, de placer à la tête de son administration des personnalités politiques appartenant aux partis bourgeois [...] et servant de paravent face aux autorités locales. De réputés avocats locaux peuvent également remplir ce rôle. On notera à cet égard que la société genevoise d'Albert Shammah — la Mazalcor SA — a eu, de 1964 à 1968, le même président que la société Mirelis SA, soit le conseiller national radical genevois M. André Guinand.

« Aujourd'hui, le président de la société Mirelis est l'avocat genevois au-dessus de tout soupçon, Me Fernand Haissly[1]. On trouve même parmi les responsables de cette société le président de la commission des Finances de la Ville de Genève. Or, les justices italienne et tessinoise accusent aujourd'hui cette société d'avoir servi, à plusieurs reprises, d'instrument de blanchiment d'argent de la drogue. Le nom de la société Mirelis comme celui d'Albert Shammah figurent dans les agendas des trafiquants turcs arrêtés ou sont "balancés" par eux à la police ou aux juges lors des interrogatoires.

« La société Mirelis, comme une vingtaine d'autres sociétés financières du même type domiciliées à Genève, fait l'objet d'un nombre incroyable de commissions rogatoires — vingt-

---

1. Il n'est plus aujourd'hui président de la Mirelis SA. Il a été remplacé par un autre avocat d'affaires *(NdA)*.

trois, dit-on — ordonnées par les juges, dont aucune n'est exécutée par la justice genevoise à l'heure actuelle. Le nom de Mirelis et ceux de ces sociétés apparaissent régulièrement dans les enquêtes menées par les autorités américaines et italiennes, comme étant des institutions financières clés pour le blanchiment des narco-dollars. Elles n'ont, ni les unes ni les autres, jamais été inquiétées par les autorités genevoises.

« Hier, ma collègue Sylvia Leuenberger a dit clairement que nous en avions assez d'être les spectateurs de cette pourriture, de cette gangrène qui, comme dans quelques républiques bananières de zone franche, abritent les plus honteux trafics, les pratiques les plus criminelles, avec l'aval de la "jet set" locale, la complaisance de la justice et la lâcheté de la classe politique. Notre Genève démocratique mérite mieux que cela. Je ne dirai rien ici de la violation flagrante de tous les principes d'équité que représente le mode d'attribution des permis de séjour à ces trafiquants, comparé à celui que l'on applique aux travailleurs pauvres, aux étrangers sans argent. Même si cette détestable habitude appartient à l'histoire bancaire genevoise, nous n'entendons pas la laisser se perpétuer quand il s'agit du crime organisé. »

Bernard Ziegler, conseiller d'État, chargé du département de Justice et Police (ministre cantonal de la Justice), répond :

« En ce qui concerne l'affaire Shammah, elle a été examinée par la justice en 1985 et a donné lieu à une procédure d'extradition vers l'Italie.

« M. Albert Shammah a été arrêté pendant le déroulement de cette procédure d'extradition. La demande d'extradition a toutefois été retirée par l'Office fédéral de la police. C'est donc une affaire qui a été traitée en son temps avec diligence par les autorités suisses compétentes, mais qui s'est terminée "en queue de poisson" [...].

« En ce qui concerne la société Mirelis SA, il m'est apparu, en consultant le dossier de police, qu'elle avait donné lieu à un certain nombre de demandes de renseignements depuis l'année 1980, entre autres de la part des autorités italiennes, à la suite de l'arrestation d'un trafiquant d'héroïne turc. On a en effet trouvé sur lui le numéro de téléphone de la société Mirelis. Une seconde demande de renseignements a eu lieu en 1983, lorsque ce même numéro de téléphone a été trouvé en possession d'un autre trafiquant de stupéfiants. Mêmes interrogations en 1984 et 1985, ce qui a amené, au cours de cette même année 1985, le Ministère public fédéral à demander un rapport à la police genevoise, qui le lui a d'ailleurs transmis. Le juge informateur vaudois, M. Châtelain, s'est également intéressé à cette société en 1985, ce qui a conduit la police à lui envoyer un rapport.

« Le Ministère public fédéral a une fois encore interpellé la police genevoise au sujet de cette société en 1986, ainsi que l'Office fédéral de la police. Les autorités judiciaires genevoises s'y sont intéressées en 1986. A cette époque, la police a reçu une demande de renseignements de la part d'un juge d'instruction genevois, suivie un mois plus tard d'une seconde demande de la part d'un autre juge d'instruction. En 1987, c'est la "Drug Enforcement Administration", l'autorité américaine chargée de la répression du trafic de stupéfiants, qui a demandé des renseignements sur la société Mirelis SA.

« Actuellement, depuis le mois de novembre 1988, le juge d'instruction Mme Rossari-Jacquemoud, qui instruit les demandes d'entraide judiciaire tessinoises, a déjà procédé à deux reprises à une perquisition et à des saisies dans les locaux de cette société. Les commissions rogatoires délivrées par la justice tessinoise sont actuellement instruites par nos autorités judiciaires, qui s'en occupent d'ailleurs avec diligence. Je peux tout à fait vous rassurer, madame Deuber-Pauli ! Si nos autorités judiciaires n'ouvrent pas elles-mêmes une information dans de telles affaires, c'est en raison de la nécessité, dans notre pays fédéral, de laisser à une autorité — en principe, la première saisie ou celle qui conduit les enquêtes les plus importantes, et il s'agit en l'occurrence des autorités judiciaires tessinoises — le soin de mener l'ensemble des enquêtes, de manière à éviter un ralentissement des procédures du fait de leur multiplication. C'est un problème bien connu dans un État fédéral. Il faut laisser toutes les enquêtes dans les mains d'une même autorité judiciaire, sous peine d'assister à un ralentissement considérable des procédures judiciaires.

« Je crois que nous pouvons faire confiance aux autorités judiciaires tessinoises, qui ont déjà montré qu'elles savaient mener à leur terme des affaires financières importantes. [...]

« Pour le moment, il n'est pas possible de dire quelle sera l'issue judiciaire de ces procédures, puisqu'elles sont seulement en cours d'instruction. Je peux en revanche vous rassurer, madame Deuber-Pauli, la justice genevoise, qui a été saisie de commissions rogatoires, conduit ces enquêtes de manière approfondie et avec toute la diligence nécessaire. Elle a déjà procédé à toute une série de mesures d'instruction. »

12 octobre 1989, à Quito : François Mitterrand tient une conférence de presse. Afin de conférer un poids maximal à ses déclarations, il prend soin de préciser qu'il parle non seulement en tant que chef de l'État français, mais également comme président en exercice de la Communauté économique européenne.

Pratiquement toute la conférence de presse est consacrée au combat contre le blanchiment de l'argent de la drogue. François Mitterrand : « J'ai saisi les Douze de la Communauté européenne pour qu'ils désignent chacun un délégué chargé spécialement de ce problème. Ces douze représentants devraient lancer des initiatives et ne pas laisser ce problème bien distinct perdu dans les ministères traditionnels. C'est en cours. J'ai beaucoup insisté. » Et plus loin : « Nous allons développer une stratégie qui placera la France à la pointe de la lutte contre ce terrible fléau [...] il est possible que dans chacun des pays [européens] il y ait des banques complaisantes. [...] Mais ce n'est pas en France que se trouve le nœud du problème. [...] J'ai ma petite idée sur l'identité des banques impliquées. » (Mitterrand répète deux fois cette dernière phrase.) Et plus loin : « Je suis pour la suppression de tous les secrets bancaires[1]. »

Il est facile de deviner la « petite idée » de François Mitterrand. Le président se trompe toutefois sur un point : en Suisse, le secret *bancaire* n'est pas seul en cause ; l'argent des agents de la mort est protégé par plusieurs secrets, tous plus efficaces les uns que les autres.

Récapitulons.

1. Premier secret : l'agent de la mort désireux de blanchir son argent en Suisse s'adresse d'abord à un cabinet d'avocat. Celui-ci ouvre un compte sur mandat, fiduciairement. Qu'est-ce à dire ? C'est l'avocat qui signe les documents d'ouverture du compte en son nom propre, tout en indiquant qu'il agit sur mandat d'un client. Il refusera de nommer ce client, invoquant le secret professionnel.

L'Association suisse des banques, inquiète de la publicité négative qu'ont entraînée les récents scandales, tente actuel-

---

1. Cf. *Libération*, 13 octobre 1989 ; télex de l'AFP, 12 octobre 1989.

lement d'imposer aux avocats la signature d'un formulaire[1].
Elle demande aux avocats de préciser plusieurs choses,
notamment : que le mandat en question n'a pas principalement pour objet la gestion de fortunes, que ce soit directement ou indirectement (par exemple, par l'intermédiaire
d'une société) ; que le mandat n'a pas principalement pour
but de garder secret le nom de l'ayant droit économique vis-à-
vis de la banque ; que l'avocat surveillera les transactions qui
seront effectuées sur le compte. L'Association suisse des avocats refuse de signer ce formulaire, malgré les admonestations
pressantes de la Banque nationale et de la Commission fédérale des banques. Le porte-parole de l'Association, Me Max
P. Oesch, dit : « Résistons dès le début » (en allemand :
« *Wehret den Anfängen* ») ; il considère que c'est la sauvegarde du secret professionnel qui est en jeu[2].

On estime qu'environ 11 % des 4 019 avocats membres de
l'Association vivent majoritairement de la gestion de fortunes. La situation est particulièrement dramatique dans des
villes comme Zurich et Genève. Exemple : Genève. J'ai
passé mes examens pour l'obtention du brevet d'avocat genevois en 1960. Il y avait alors à Genève environ 200 avocats
assermentés, donc inscrits au barreau. Il en existe aujourd'hui
plus de 700. Nombre d'entre eux gagnent des fortunes en
ouvrant pour leurs clients un compte numéroté (ou en effec-
tuant pour eux l'inscription au registre du commerce de telle
ou telle société immobilière, commerciale, etc.). Ceux-là for-

1. Le titre officiel de ce formulaire : « Déclaration lors de l'ouverture
d'un compte ou d'un dépôt par un avocat ou notaire suisse, formulaire B
selon article 5 de la Convention de diligence conclue entre la Banque nationale et l'Association suisse des banques. »
2. Max P. Oesch dans *Bilanz*, octobre 1989. Il faut dire que nombre
d'avocats suisses ne sont pas d'accord avec l'attitude prise par leur association et désirent ardemment la moralisation de leur profession.

ment une caste rusée, solidaire face aux juges, aux policiers, aux procureurs.

2. Deuxième secret : l'agent de la mort, déjà protégé par le secret professionnel de son avocat, répugne généralement à faire directement déposer son magot sur le compte numéroté d'une banque. Méfiant de nature, il préfère interposer un écran supplémentaire entre l'avocat et la banque : celui que lui procurera une société fiduciaire ou un gérant de fortunes attitré. Ici aussi, les récents scandales — et, plus encore, une saine crainte de la concurrence — ont amené l'Association suisse des banques à exiger de leurs interlocuteurs la signature d'un formulaire garantissant la provenance légale des fonds. La « Déclaration lors de l'ouverture d'un compte ou d'un dépôt », dont l'Association suisse des banques suggère la signature aux fiduciaires et aux gérants de fortunes, est formulée en des termes voisins de ceux énoncés plus haut. Hélas, nombre de gérants de fortunes et de sociétés fiduciaires refusent de la signer.

3. Troisième secret : le secret bancaire (article 47 de la loi fédérale sur les banques et les caisses d'épargne[1]). Il protège d'un mur difficilement franchissable le butin ensanglanté des agents de la mort.

1. Cf. p. 27-28.

7

La carence de la justice

*Le premier trait de la corruption des
mœurs, c'est le bannissement de la
vérité.*

Michel Eyquem de Montaigne.

La Suisse est aussi le pays de Guillaume Tell. Périodiquement surgissent des justiciers solitaires, de téméraires et lucides pourfendeurs de corruption. Même à Zurich. Même dans la police. 1985 : un responsable de la Kriminal-Polizei de la ville de Zurich, passionné par son métier, mais écœuré par la lâcheté de ses supérieurs et profondément inquiet pour l'avenir de son pays, rédige un rapport de vingt pages, fruit de dizaines d'enquêtes et de filatures entreprises à sa propre initiative. Il découvre une organisation d'environ cinquante personnes constituant un réseau intercontinental de trafic de drogue et de blanchiment d'argent sale. Le solitaire justicier conclut ainsi son rapport : « Si l'on analyse les éléments à disposition dans cette enquête, il apparaît clairement que l'on est en présence d'une organisation criminelle qui se consacre au trafic de stupéfiants à un niveau international. » Le policier a découvert — avec quatre ans d'avance ! — le réseau turco-libanais qui devait notamment entraîner dans sa chute le ministre fédéral de la Justice, Eli-

105

sabeth Kopp, et le procureur de la Confédération, Rudolf Gerber.

Le rapport du policier contient quelques perles : Musullulu avait réussi à placer l'un de ses hommes comme interprète auprès de la police de Zurich, de sorte que les narco-trafiquants turcs arrêtés par les autorités bénéficiaient de l'aide active d'un comparse.

Que devint le rapport du justicier ? Un terme allemand intraduisible résume son destin : le rapport fut « schubla-disé » (*Schublade* signifiant « tiroir » en allemand, la traduc-tion littérale serait : « tiroirisé »). Le tiroir en question est celui du parquet de Zurich.

Mais le plus hermétique des tiroirs ne peut prétendre emprisonner durablement la vérité : un jour d'août 1989 — neuf mois exactement après la chute de la maison Kopp —, ce rapport fait la une du plus grand journal du pays, le *Tagesanzeiger*.

Interrogée par la presse sur son incroyable passivité, la magistrature zurichoise délègue deux de ses procureurs pour répondre. Le premier, Hans Baumgartner, fera preuve d'ori-ginalité : « Ce rapport était de la dynamite ; il prouvait clai-rement que le crime organisé avait pris racine chez nous. » Par conséquent, il était préférable de ne pas y toucher. Quant au second procureur, Marcel Bertschi, il embouchera la trompette habituelle : le rapport ne contenait que des indices, pas des preuves[1].

Que devint le perspicace policier ? Il perdit son poste à la Kriminal-Polizei ! Explication imparable du procureur Bert-schi : « Il avait de mauvaises relations de travail avec ses col-lègues[2]. »

---

1. Baumgartner et Bertschi cités par Yves Lassueur, in « Révélation sous clé », *L'Hebdo*, 17 août 1989.
2. *Ibid.*

Bien des citoyens s'étonnent de l'argument rabâché par les magistrats pour justifier leur léthargie : tel dossier ne renferme que des indices, pas des preuves. Quand il y a des indices massifs, comme ceux que fournissent continuellement les autorités étrangères, ne faut-il pas ouvrir une enquête ? Pourquoi le juge d'instruction (de Genève, de Zurich, etc.) attend-il passivement qu'un dossier gorgé de preuves irréfutables lui tombe du ciel ? Sa tâche n'est-elle pas justement d'enquêter, d'ouvrir une instruction à partir des indices fournis, de chercher — et non d'attendre — les preuves nécessaires à la mise en accusation puis à la condamnation des agents de la mort ? Plusieurs hypothèses sont avancées sur la volontaire incapacité, l'abyssale indifférence de tant de juges d'instruction, de procureurs, d'officiers de police en Suisse.

Première hypothèse : « l'écrasante surcharge des juges ». L'argument n'est pas absurde. La République de Genève, fondée en 1536, est un petit État au cœur de l'Europe. Elle compte actuellement 367 000 habitants, dont plus du tiers sont des étrangers. Cette ville est, aujourd'hui, l'une des principales capitales du blanchiment de l'argent de la drogue dans le monde. Le crime organisé prolifère dans l'immobilier, la finance, le commerce, les services. Comment un appareil judiciaire traditionnellement si tranquille, si joyeusement intégré à la cité des notables, pourrait-il brusquement se muer en un appareil de combat ? En un groupe d'hommes et de femmes dynamiques, déterminés, courageux, capables d'attaquer l'hydre, de lui trancher les têtes l'une après l'autre ? Il faudrait avoir le courage de s'attaquer à des dossiers infiniment compliqués, aux ramifications internationales nombreuses. Il faudrait affronter des inculpés cyniques, durs, habitués à tous les mensonges, ruses et cruautés du métier. Et surtout : comment vaincre ces bataillons d'avocats habiles, prêts à tout, spécialistes du déclenchement en cascade de recours, que se paient, à coups de millions, les parrains de la drogue ?

Dans ces conditions, la plupart des magistrats optent pour l'attente. La prescription est une belle et utile chose : elle anéantit le dossier le plus explosif. Il suffit de savoir détourner les yeux, se boucher les oreilles, attendre. Et si, du tiroir fermé à clé où repose le dossier monte une odeur par trop nauséabonde, le plus démuni des magistrats peut toujours brûler un cierge et méditer sur l'impuissance des justes face aux méchants.

Une autre hypothèse doit être envisagée : la souveraineté des cantons en matière judiciaire. Les magistrats ne sont pas nommés par un ministre au terme d'un processus comportant vérifications et contrôles de capacité, comme en France par exemple. Ce sont les Parlements des États membres de la Confédération qui élisent (et réélisent périodiquement) les juges d'instruction, procureurs, magistrats du siège, etc. La présentation des candidatures s'effectue par rotation entre les différents partis politiques représentés dans chacun de ces Parlements. La principale qualité d'un juge ou d'un procureur est souvent d'avoir été choisi par l'état-major de son parti...

En Suisse, il existe des magistrats remarquables. Mon père était juge d'instruction, puis, pendant de longues années, président de tribunal. Sa totale indépendance d'esprit, sa profonde intelligence humaine, sa passion de la justice ont fait de lui un magistrat aimé dans notre ville. Je sais d'expérience avec quel courage et quelle probité certains juges exercent leur métier. Il reste néanmoins que le mode de sélection des magistrats de l'ordre judiciaire est profondément insatisfaisant.

Aucune des deux hypothèses évoquées ne me paraît totalement convaincante. La passivité de tant de magistrats helvétiques face aux agents de la mort qui, dans l'Émirat helvétique, prospèrent, trafiquent et lavent impunément l'argent sale s'explique par d'autres raisons encore : les juges d'instruction, procureurs, substituts, officiers de police, inspecteurs de la Sûreté, magistrats du siège, etc., sont des êtres humains comme vous et moi. Ils ont tout simplement peur pour leur vie, pour celle de leurs proches. La peur est constamment présente, tapie, là, quelque part, dans un recoin, un pli enfoui bien au-dessous du seuil de la raison. La bête respire. Le juge ne fera rien pour la provoquer. L'oubli, peut-être, l'éloignera.

J'exagère ? Non. En juin 1989, en Sicile, le juge Falcone reçoit deux de ses collègues suisses. Deux magistrats du Sottoceneri, exceptionnellement courageux, qui, en Suisse, avaient répondu aux appels du juge italien et s'étaient attaqués à un réseau d'agents de la mort implanté au Tessin et en Sicile. Falcone travaille et vit avec sa famille dans un véritable bunker, à Palerme. Lui, ses proches, ses invités ne se déplacent qu'en voiture blindée, escortés par d'autres véhicules spéciaux remplis de carabiniers surarmés. Falcone, sa famille, ses greffiers, ses enquêteurs sont parmi les gens les plus menacés, mais aussi les mieux protégés du monde.

Les deux magistrats helvétiques et Falcone, entourés de leurs équipes respectives, travaillent d'arrache-pied, épluchent des milliers de pages de documents, écoutent des dizaines de bandes magnétiques durant le week-end. Le mardi 20 juin, la journée est torride. Ce soir-là, les Suisses désirent prendre un bain de mer avant de reprendre l'avion. Le soleil déjà descend sur l'horizon. Accompagnés par leurs amis italiens, les Suisses descendent vers une petite baie discrète. Les carabiniers fouillent la plage et découvrent un sac piégé tout près de l'endroit où les juges s'apprêtent à se baigner. La bombe est désamorcée. Manifestement, une taupe des narco-trafiquants est infiltrée au palais de justice de Palerme.

Les deux juges suisses et leurs collègues italiens sont des miraculés. Leur ténacité me remplit d'admiration. Mais, hélas, au sein de la pléthorique magistrature helvétique, ils sont exceptionnels.

Quels remèdes adopter face à cette carence de la justice ? J'en vois essentiellement deux.

1. Il faut faciliter l'entraide judiciaire internationale. L'ennemi est multiforme et puissant. Il se joue avec art des frontières nationales. Or, les systèmes judiciaires occidentaux sont marqués par l'histoire juridique et la mentalité singulière de chacun des pays concernés. La collaboration de ces systèmes ne va pas de soi. Elle pose des problèmes intellectuels, institutionnels, procéduraux. Les conflits et les antinomies sont la règle ; la réciprocité et la complémentarité, l'exception. Les agents de la mort le savent : ils construisent avec soin leurs organisations criminelles de telle sorte que leurs différentes activités se développent sur des territoires aux systèmes judiciaires différents. Exemple : les laboratoires de raffinage ne se situent qu'exceptionnellement dans les pays producteurs de la matière première (*pasta* de

cocaïne, morphine-base, etc.) ; un parrain, chef suprême d'un cartel, vivra très rarement dans la contrée où opèrent ses grossistes ; le lavage de l'argent sale, son recyclage, sa thésaurisation se font dans des États où la consommation de drogue, et donc la très vulnérable organisation de vente au détail, sont faibles. Dans cette division internationale du travail instaurée par les agents de la mort, la Suisse sert essentiellement de receleuse et de réinvestisseuse des profits.

Voici comment se déroule concrètement l'entraide judiciaire internationale : un juge d'instruction, une police anti-drogue, un procureur français, italien, américain, qui a réussi à reconstituer l'organigramme international ou, plus fréquemment, intercontinental, d'une organisation criminelle, et qui détient des preuves que des comptes numérotés helvétiques abritent la totalité ou une partie du butin, s'adresse d'abord au ministère de la Justice de son pays. Celui-ci transmet la requête d'entraide judiciaire au ministère des Affaires étrangères.

La requête demande généralement le séquestre provisoire et conservatoire du ou des comptes en question. Elle peut aussi prendre la forme d'une simple commission rogatoire : le juge étranger demande que les autorités suisses convoquent, interrogent tel ou tel individu et lui transmettent ensuite ses réponses.

Le ministère des Affaires étrangères (de France, d'Italie, des États-Unis, etc.) envoie en Suisse, par voie diplomatique, les requêtes du juge (français, italien, américain). En Suisse, c'est le département fédéral des Affaires étrangères qui reçoit les documents et les transmet à l'Office central de police, dépendant lui-même du département fédéral de Justice.

Cet Office est une instance administrative. Il agit selon les

111

consignes du Conseil fédéral. Il décide si la demande étrangère est formellement recevable ou non. En d'autres termes : l'Office décide d'accorder ou de refuser l'entraide judiciaire.

S'il décide d'entrer en matière, il transmet le dossier au procureur général du canton concerné. Celui-ci désigne un juge d'instruction, et ce dernier — en principe — se met au travail. Le juge d'instruction cantonal procède à des arrestations, exécute des commissions rogatoires, séquestre provisoirement des comptes.

Contre chacune de ses décisions, la partie concernée — c'est-à-dire les agents de la mort — peut recourir au Tribunal fédéral, à Lausanne. En matière de drogue, le Tribunal fédéral accorde généralement l'entraide, déboute l'agent de la mort et rend exécutoire la mesure du juge cantonal.

Comment alors expliquer qu'un si grand nombre de requêtes d'entraide judiciaire internationale se perdent dans les sables mouvants de la bureaucratie ?

Le premier blocage, évidemment, se situe au niveau de l'Office central de police : la Suisse n'agit que pour des délits soumis à réciprocité. En clair : pour que l'Office entre en matière, il faut que le crime énoncé dans la requête étrangère figure au Code pénal suisse. Or, l'association de malfaiteurs, l'évasion fiscale (pour ne rien dire du recel par négligence d'argent de la mort) ne sont pas punissables en Suisse : le Code helvétique ne connaît pas l'association de malfaiteurs ; l'évasion fiscale — arme numéro un de la justice américaine dans sa lutte contre les trafiquants — n'est pas un délit (mais simplement une infraction administrative).

C'est donc avec la meilleure conscience du monde que les bureaucrates de Berne laissent mourir un grand nombre de requêtes d'entraide. La protection des grands clients des émirs, des marchands de devises, des sociétés fiduciaires, des avocats d'affaires, etc., fonctionne parfaitement... faute de lois adéquates permettant de faire jouer le principe internationalement reconnu de la réciprocité. Premier remède donc : la refonte fondamentale de la loi pénale suisse. Nous verrons plus loin les obstacles considérables qui se dressent sur la voie d'une telle réforme.

2. Si, par miracle, une demande d'entraide parvient jusqu'au procureur général d'un canton — en d'autres termes, si l'Office central de police décide d'entrer en matière —, la requête du juge étranger bute très fréquemment sur l'incapacité du juge d'instruction cantonal.

Je ne veux pas médire ici des juges d'instruction de nos contrées. Ils travaillent souvent dans des conditions archaïques. Beaucoup d'entre eux sont des hommes et des femmes déterminés, qui enragent des conditions difficiles dans lesquelles ils sont contraints de travailler.

Car, contrairement à la France, il n'existe pas, dans les cantons suisses, de juges d'instruction spécialisés[1]. Le doyen du collège des juges d'instruction de chaque canton distribue les affaires à ses collègues au fur et à mesure qu'elles arrivent sur sa table. Conséquence : les juges d'instruction — notamment ceux de Genève, de Bâle, de Zurich, du Tessin — croulent littéralement sous les dossiers. Ils s'occupent simultanément d'une multitude d'affaires qui vont du vol à l'étalage au lavage d'argent sale[2], de l'accident de la circulation au meurtre crapuleux. Un seul exemple : le 10 octobre

1. Deux exceptions tout de même : les cantons de Bâle et de Zurich ont chacun un juge d'instruction spécialisé en matière d'entraide judiciaire.
2. Pour instruire les dossiers de l'argent sale, ils sont dépourvus de tout soutien logistique, alors qu'il leur faudrait disposer de brigades policières formées (comme en France, par exemple) aux enquêtes financières, de collaborateurs spécialisés dans l'analyse des bilans de sociétés et des déclarations fiscales (et cela sous toutes les latitudes...), etc.

1987 au matin, une femme de chambre de l'hôtel Beaurivage, un établissement de luxe situé sur le quai Wilson à Genève, découvre dans la baignoire d'une salle de bains le cadavre tout habillé du ministre-président du Land allemand de Schleswig-Holstein, Uwe Barschel. Claude-Nicole Nardin, jeune juge d'instruction, est chargée de l'affaire. Elle conclut au suicide. La grande presse internationale mène contre elle une campagne virulente, dénonçant les nombreuses « lacunes et contradictions » de l'enquête[1]. Le cas Barschel ouvrait en effet sur des pistes nombreuses : trafics d'armes, chantages, menaces d'assassinat, etc. En bref : un dossier d'une extrême complexité concernant l'un des plus puissants personnages de la CDU allemande. Or, pendant les quatorze mois où Claude-Nicole Nardin enquêta sur la tragédie Barschel, elle avait la responsabilité de quatre-vingt-cinq autres dossiers...

Ici aussi, le remède est évident : il faudrait d'urgence créer un corps de juges d'instruction fédéraux dont la compétence s'étendrait à l'ensemble du territoire national. On leur transmettrait d'office les requêtes d'entraide judiciaire concernant le crime organisé et le blanchiment de l'argent de la drogue. Ces juges de type nouveau — assistés d'experts financiers, d'enquêteurs spécialisés dans le démantèlement des organisations intercontinentales du trafic des stupéfiants — existent déjà en Italie : ce sont les super-juges[2] créés en 1982 pour

---

1. Novembre 1989 : la chambre d'accusation de Genève reprend à son compte la plupart de ces reproches et renvoie le dossier Barschel à l'instruction.
2. Sur le fonctionnement de ces super-juges italiens, cf. les travaux de Pino Arlacchi, directeur du Centre de sociologie de Cosenza, puis de Florence, notamment *Mafia et Compagnies. L'éthique mafiosa et l'esprit du capitalisme*, Grenoble, Presses universitaires de Grenoble, 1986 (trad. fr. par Aldo de Forno ; préface de Jean Ziegler).

114

combattre les mafias calabraise et sicilienne. Exemple : Falcone. Leurs résultats sont impressionnants.

Pour créer en Suisse un corps de juges aux compétences équivalentes, il suffirait de réviser partiellement le Code de procédure pénale. Nous verrons plus loin les obstacles qui s'y opposent.

DEUXIÈME PARTIE

Le jardin ensanglanté

L'île au trésor des dictateurs

Le poète turc Nazim Hikmet, qui paya de dix-huit ans de prison ses convictions démocratiques, fit, vers la fin de sa vie, un voyage à travers la Suisse. Il envoya ce poème à sa compagne :

Tu sais qu'on nomme la Suisse, ma rose, le coffre-fort muet, le coffre-fort des fortunes que l'on fait fuir de quelque part, de quelque chose.
[...]
Pourquoi ai-je écrit tout cela sur la Suisse ?
Peut-être pour avoir envié le petit jardin au milieu du désert ensanglanté.
Les fleurs de ce petit jardin n'ont-elles pas été, ne sont-elles pas arrosées de notre sang qui coule au milieu du désert ?
Et dans la nuit paisible et neigeuse de la Suisse
Les étoiles ne scintillent-elles pas
Lavées par nos larmes[1] ?

L'Émirat helvétique est le coffre-fort du monde. Les caves d'Ali Baba de ses forteresses bancaires accueillent non seulement le butin des cartels de Medellin et de Cali, des narcotrafiquants iraniens et libanais, des mafias new-yorkaise, sici-

---

1. Nazim Hikmet, « En passant par la Suisse », in *Anthologie poétique*, Paris, Éditeurs français réunis, 1964 (trad. fr. par Hassan Goureh).

119

lienne et calabraise, mais aussi le trésor des classes possédantes et despotes d'Afrique, d'Asie, d'Amérique latine.

Quel rapport y a-t-il entre l'argent sale de la drogue et le capital illicite qui fuit le tiers monde ? Tous deux sont lavés, recyclés, par les mêmes émirs, au moyen de techniques bancaires identiques. Ce sont souvent les mêmes organisations qui convoient ces capitaux, leur font traverser les continents, les font entrer en Suisse. Les mêmes analystes financiers, gérants de fortunes, conseillers boursiers et agents de change réinvestissent les capitaux en fuite du tiers monde et l'argent sale de la drogue.

Les adolescents drogués des rues de New York, Milan et Londres agonisent des œuvres de Pablo Escobar ; celui-ci fait recycler, laver ses profits en Suisse. Aux Philippines, au Brésil, au Zaïre, des enfants, par milliers, meurent de sous-alimentation, se prostituent, périssent d'abandon et de maladie. D'importantes richesses autochtones, au lieu de contribuer à créer sur place des hôpitaux, des écoles, des emplois, se réfugient en Suisse ; elles sont recyclées et réinvesties dans la spéculation immobilière à Paris, Rome et Tokyo, ou alimentent les Bourses de New York, Londres et Zurich.

Le pillage financier du tiers monde et le trafic de la drogue sont deux œuvres de mort, provoquant des désastres sociaux, psychiques, physiologiques analogues. Tous deux bénéficient de la compétence reconnue, de l'assistance experte, de la complicité efficace des émirs suisses.

Mais les peuples exsangues d'Amérique latine, d'Afrique et d'Asie supportent de moins en moins les satrapes qui les oppriment.

1. Les Philippins

En 1986, Ferdinand Edralin Marcos truque une nouvelle fois les élections nationales. Une fois de trop... L'insurrection populaire balaie Manille. A l'aube du 25 février, le protecteur américain ordonne la fuite : des hélicoptères des forces aériennes des États-Unis se posent sur le gazon du palais de Malacanang. Ils évacuent Imelda, Ferdinand et quatre-vingt-trois de leurs parents et associés vers la base américaine de Subic Bay. Ferdinand Marcos mourra le jeudi 28 septembre 1989 dans un hôpital militaire américain de Hawaï.

Le despote asiatique a été, sa vie durant, un client presque idéal pour les émirs helvétiques : il est immensément riche ; il est habité par une véritable manie de la thésaurisation. L'évacuation du trésor ne pose aucun problème : le kleptocrate est lui-même au pouvoir. De plus, l'homme joue en permanence double jeu avec ses protecteurs américains et japonais. Comme il est, de surcroît, d'une extraordinaire complexité psychique, il est vulnérable. Les émirs peuvent le plumer à volonté, lui imposer des conditions d'investissement et de recyclage draconiennes.

Ferdinand Edralin Marcos naît en 1917 dans un milieu modeste, à l'extrême pointe septentrionale de l'archipel, à Ilocos Norte. La population de cette province est taciturne, travailleuse, rusée. Son activité principale : la contrebande avec Taiwan et Hong Kong. Les trois noms de l'enfant indiquent le drame de sa naissance : Ferdinand Chua, riche marchand chinois, s'éprend de la très jeune Josefa Edralin. Josefa est belle, gaie, intelligente, mais pauvre. En outre, elle est philippine. Le clan Chua oppose son veto au mariage

121

(Ferdinand Chua épousera une héritière chinoise du Fukien). C'est la rupture. Mais Josefa est enceinte. Sa famille appartient au milieu catholique traditionnel du Nord, un milieu bigot, cruel, qui ne pardonne pas la naissance « illégitime ». Elle cherche désespérément un mari pour la pécheresse... et un père pour l'enfant qui va naître. Un écolier du village, pauvre comme Job, âgé de quatorze ans, fera l'affaire : Mariano Marcos. L'adolescent est violent, rusé, ambitieux. Il sera le modèle social de l'enfant qui grandira à ses côtés.

Le jeune Ferdinand et celui qu'il prendra longtemps pour son père appartiennent presque à la même génération : une intense solidarité les lie. 1935 : Mariano est candidat à la députation. Il perd l'élection. Le candidat adverse, marchand et contrebandier aisé du lieu, humilie sa famille : il ose même promener un cercueil sous ses fenêtres. Quelques jours plus tard, on retrouvera le tout nouveau député d'Ilocos Norte au bord d'une route, une balle dans la tête.

Ferdinand, dix-huit ans, est arrêté, inculpé, condamné pour assassinat.

Mariano le fait libérer trois ans plus tard : un de ses amis, José Laurel, est entre-temps devenu juge à la cour d'appel. Laurel est lui-même un ancien assassin.

Ferdinand est beau, agile, intelligent. Il termine de brillantes études de droit à Manille. Il sera un avocat recherché.

Vers sa vingtième année, Ferdinand découvre le secret de sa naissance et prend contact avec son père de sang. Son alliance avec la puissante communauté chinoise de l'archipel lui ouvre une fulgurante carrière politique : député, sénateur, président du Sénat, puis, en 1965, chef de l'État.

Deux épisodes dans la vie de Marcos méritent une attention particulière. Durant l'occupation japonaise, il dirige un groupe de hors-la-loi appelé « Maharlika ». Le groupe pratique la résistance antijaponaise, la contrebande et le trafic d'armes. Mais Marcos est trop intelligent pour mettre tous ses œufs dans le même panier : agent japonais, il trahit nombre de ses camarades résistants. Dès la libération, il est jugé par les autorités américaines, échappe au poteau d'exécution... et devient le protégé de la nouvelle puissance occupante.

Deuxième épisode : en 1954, le jeune député rencontre Imelda Romualdez. Imelda est tout à la fois actrice, chanteuse et reine de beauté. Petite-fille d'un prêtre catholique, elle a connu une enfance et une adolescence d'humiliation et de misère. Sa soif de revanche est considérable. Or, depuis la victoire des troupes américaines sur le colonisateur espagnol en 1898, une oligarchie autochtone de planteurs de canne à sucre, de financiers et de grands marchands règne sur l'archipel. Ferdinand partage la haine d'Imelda pour l'oligarchie.

Imelda et Ferdinand forment un couple redoutable : orateur doué, incendiaire et démagogue, Marcos est adoré par les foules. Les pauvres aiment Imelda, qui distribue du riz et des vêtements dans les bidonvilles. Jusqu'en 1972, Marcos est réélu sans problèmes. Puis les choses se gâtent : la haine de l'oligarchie aveugle le couple. Sa passion des palais, des bijoux, de l'argent est illimitée, et le couple pille littéralement le pays. Marcos, lentement, se transforme en despote asiatique ; Imelda, en Lady Macbeth. Marcos aime les femmes ; il est généreux : Carmen Ortega et ses trois enfants — une des nombreuses familles parallèles de Marcos — comptent aujourd'hui parmi les clans les plus riches de Manille.

23 septembre 1973 : le despote décrète l'état de siège (régulièrement reconduit jusqu'en 1986). Le général Ver, chef des services secrets et associé en affaires de Marcos, instaure la torture, fait disparaître les opposants. Faisant pression sur ses

protecteurs américains qui entretiennent, dans l'archipel, leur base aérienne, maritime, terrestre la plus puissante d'Asie, Marcos garde en même temps d'excellentes relations avec la droite nationaliste japonaise qu'il a servie durant la guerre. En bref : son avenir semble assuré. Les émirs suisses sont certains d'avoir misé sur le bon cheval.

Revenons à ce matin du 25 février 1986, lorsque le protecteur américain laisse tomber le kleptocrate et que s'installe au palais de Malacanang une femme de l'oligarchie, Cory Aquino, veuve d'un opposant assassiné par Marcos le 21 août 1983. Évacués de force à Subic Bay, Marcos, sa cour, sa famille sont conduits le même jour à Hawaï, aux États-Unis. Dès leur descente d'avion, à Honolulu, des agents du FBI s'avancent vers Marcos et ses proches, leur confisquent valises et mallettes qui contiennent les noms de code, les numéros, la localisation des comptes bancaires distribués à travers le vaste monde. Le FBI remet ces documents à la nouvelle présidente des Philippines, Cory Aquino.

Le raisonnement du président Reagan est aussi simple que convaincant : trois armées de guérilla, dont deux font des progrès rapides, menacent le fragile pouvoir proaméricain de Mme Aquino. Le succès de cette guérilla autochtone, sans liens notables avec une quelconque puissance étrangère, se nourrit essentiellement de l'abyssale misère des familles dans les campagnes semi-féodales et les villes prolétarisées. Si Cory Aquino veut survivre, il lui faut rapidement effectuer des investissements sociaux massifs en ville, une réforme agraire conséquente, une reconversion des plantations sucrières à la campagne. Tout cela coûtera des centaines de millions de dollars. Pour le président Reagan, il n'y a aucune raison que le contribuable américain paie ces nouveaux et faramineux crédits... alors que des milliards de dollars, volés par Marcos et les siens, dorment tranquillement dans les banques suisses.

Mais, nous l'avons dit, contre les émirs, le gouvernement de la Confédération ne peut rien. Il est plus impuissant qu'un nouveau-né. Les banques sont des forteresses impénétrables. Aucune loi ne permet à l'État, à son gouvernement, à son Parlement d'obtenir ne serait-ce qu'un renseignement sur l'identité du créancier, le montant du dépôt, la provenance des capitaux qui alimentent les comptes numérotés.

La pression du président Reagan, du FBI, du secrétaire américain au Trésor se fait de plus en plus forte. Le Conseil fédéral tente de tergiverser, d'expliquer sa singulière impuissance : depuis quelques années, les autorités américaines se montrent d'une grande brutalité envers la Suisse... L'administration Reagan ne s'en laisse pas conter et exige d'une manière impérative, menaces de sanctions commerciales à l'appui, le blocage, puis la restitution des milliards volés par le kleptocrate de Manille.

Drame cornélien au palais fédéral de Berne : faut-il violer la loi suisse, dresser contre soi les émirs, plaire aux Américains et donc bloquer les comptes ? Ou vaut-il mieux affronter les sanctions américaines, protéger le secret bancaire et laisser le Crédit suisse, l'Union de banques suisses, etc., remettre paisiblement leur magot à Marcos et à ses courtisans ?

Dans la nuit du lundi 24 mars 1986, l'illumination survient durant le dîner de gala offert par le gouvernement au président de la République de Finlande, Koivisto, dans le grand hall médiéval de l'hôtel de ville de Berne. L'atmosphère, du côté des ministres fédéraux, est sinistre : les pressions américaines — coups de téléphone, démarches diplomatiques, menaces de plus en plus précises sur les exportations suisses vers les États-Unis — se sont encore accrues pendant le week-end. Les convives se mettent à table. Un conseiller du service juridique du département fédéral des Affaires étrangères obtient des services de sécurité de pouvoir pénétrer dans le grand hall. Il se dirige droit vers Pierre Aubert, ministre des Relations extérieures, et lui tend un papier. Aubert, rayonnant, se penche vers le président de la Confédération, Alphonse Egli. A peine les derniers discours prononcés, le dessert avalé, Egli réunit ses collègues dans le salon de l'hôtel de ville, où s'était tenu le dîner. Le Conseil fédéral décide de bloquer provisoirement, avec effet immédiat, tous les avoirs du kleptocrate, de sa famille, de ses alliés dans toutes les banques exerçant sur le territoire suisse. Tremblement de terre : c'est la première fois, dans l'histoire pluriséculaire du pays, qu'une telle décision est prise à l'encontre des émirs. Des fonctionnaires leur téléphonent dans la nuit même la mauvaise nouvelle. Quant au public médusé, il en sera officiellement informé par un communiqué, le mercredi 26 mars.

Le fondement juridique de cette téméraire décision ? Tout simplement la Constitution fédérale. Dans son préambule, celle-ci invoque Dieu, instance suprême : « Au nom du Dieu Tout-Puissant, la Confédération suisse voulant affirmer l'alliance des Confédérés, maintenir et accroître l'unité, la force et l'honneur de la nation suisse », etc. L'article 102, alinéa 8, fait obligation au Conseil fédéral de « veiller aux intérêts de la Confédération au-dehors » ; il doit notamment assumer « l'observation de ses rapports internationaux » ; il est « en général chargé des relations extérieures ».

Contraint de choisir entre les intérêts « du dehors » et ceux « du dedans », le Conseil fédéral, dans un accès de lucidité, a opté en faveur des premiers.

Ferdinand Marcos aura régné vingt-trois ans dans son palais de Malacanang. A partir de 1973, il gouverne par la répression des syndicats, de l'Église, des organisations paysannes ; par l'assassinat systématique des opposants d'envergure ; par la torture méthodique, la « disparition » fréquente d'hommes, de femmes et d'adolescents contestant tant soit peu sa mégalomanie, son despotisme, son insondable corruption[1].

Voici comment le kleptocrate organisait le pillage de son peuple :

1. Chaque année, Marcos prélevait des sommes équivalant à plusieurs millions de dollars dans les caisses de la Banque centrale et sur les fonds destinés aux services secrets.

2. En deux décennies, le Japon, ancienne puissance occupante, aura versé au gouvernement de Manille des centaines de millions de dollars au titre des réparations de guerre. Marcos prélevait sa part sur chaque versement.

3. Les Philippines sont un des trente-cinq pays les plus pauvres de la terre. La Banque mondiale, les organisations spécialisées des Nations unies, des œuvres d'entraide privées lui ont versé, au cours des ans, des dizaines de millions de dollars et ont investi d'autres millions dans de nombreux projets dits de développement. Marcos, sa cour, ses complices se sont servis avec une belle constance sur quasiment tous ces transferts, chacun de ces projets.

4. Vu la fâcheuse insoumission du peuple affamé, Marcos

1. Pour l'analyse du système Marcos et de sa chute, on lira Lewis M. Simons, *The Philippine Revolution. Worth Dying for*, New York, William Morrow Editor, 1987.

dut rapidement proclamer l'état d'urgence et le reconduire d'année en année. Concentrant entre ses mains à peu près tous les pouvoirs civils et militaires, il utilisait l'armée pour occuper puis exproprier des centaines de plantations, sociétés commerciales, sociétés immobilières et banques, appartenant à ses critiques, pour en attribuer la propriété à ses propres généraux, courtisans et hommes de main. De nombreuses sociétés et plantations passèrent ainsi directement entre les mains de sa famille et de celle d'Imelda.

Mais Ferdinand Marcos, vaniteux, avide et cruel, était aussi un homme prévoyant. Il ne se faisait guère d'illusions sur les sentiments qu'il inspirait à son peuple. Un consortium d'émirs helvétiques l'aidait à évacuer annuellement son butin. L'un d'entre eux fut même détaché spécialement auprès du satrape de Manille. Il le conseillait en permanence sur la manière la plus discrète, la plus efficace, de transférer à l'étranger et d'y réinvestir ses capitaux.

Quel est le montant total du butin planqué à l'étranger, principalement en Europe et aux États-Unis ? Une estimation sérieuse évalue le magot déposé au Crédit suisse et dans une quarantaine d'autres banques helvétiques à une somme comprise entre 1 et 1,5 milliard de dollars[1].

Le camouflage du butin de Marcos et des siens obéissait à une stratégie complexe. L'émir qui avait été détaché à Manille et son état-major s'occupaient pratiquement à temps plein (depuis 1968) de l'évacuation et du recyclage de l'argent. Ils réussiront à maintenir un contact quotidien avec le kleptocrate, y compris lorsqu'il sera (à partir de mars 1986) interné à la base aérienne américaine de Hickham, à Hono-lulu. Dans un premier temps, ces fleuves d'argent sale étaient dirigés vers de multiples comptes numérotés au Crédit suisse

---

1. Cf. *Le Monde*, 4 novembre 1989.

de Zurich. Premier lavage. Puis le butin était transféré à la société fiduciaire « Fides », où le magot changeait une deuxième fois d'identité. La société Fides appartient à l'empire du Crédit suisse. Finalement, troisième lavage : Fides ouvrait ses écluses, les fleuves boueux repartaient, vers le Liechtenstein cette fois. Là, ils s'engouffraient dans des structures préparées avec soin, les fameuses *Anstalten* (terme intraduisible, propre au Liechtenstein, signifiant approximativement : établissement). Au stade actuel des procédures, on en a découvert onze. Elles portent toutes des noms poétiques : « Aurora », « Charis », « Avertina », « Wintrop », etc.

Détail pittoresque : dès 1978, afin de rationaliser le transfert des capitaux, Marcos nomma consul général des Philippines à Zurich un directeur du Crédit suisse !

Dans sa correspondance avec les émirs, le nom de code utilisé par Marcos est (dès 1968) « William Sanders » ; celui de sa femme, « Jane Ryan ». Les banquiers suisses créeront des dizaines de sociétés d'investissement au Liechtenstein, au Panama, achèteront des centaines d'immeubles à Paris, Genève, Manhattan, Tokyo, traiteront des centaines de milliers d'opérations en Bourse pour le compte du mystérieux couple Sanders-Ryan.

Malgré l'habileté proverbiale des émirs suisses, l'empire américain de Sanders-Ryan ne résistera que partiellement à la chute du satrape. Les juges new-yorkais inculpent Ryan-Imelda. Ils lui reprochent d'avoir effectué sur le territoire américain pour plus de 100 millions de dollars d'achats privés, réglés avec de l'argent volé au Trésor philippin. Des dizaines d'immeubles achetés de la même manière par Sanders-Marcos (ou ses sociétés-écrans) sont mis sous scellés. Les juges yankees — décidément sans vergogne ! — font même arrêter par Interpol l'un des hommes de paille les plus distingués du kleptocrate déchu : Adnan Kashogi, milliardaire saoudien. Il est cueilli au saut du lit, un matin de mai 1989, à l'hôtel Schweizerhof de Berne. Il sera incarcéré à la prison centrale de Berne, avant d'être extradé vers les États-Unis.

Mais que devient le magot planqué en Suisse ? La pression américaine est massive. Pour la première fois depuis que fonctionne le système bancaire helvétique, un plaignant d'envergure dispose des documents exacts prouvant la localisation, la provenance criminelle, l'identité des comptes. L'habituelle et commode défense des autorités suisses, invoquant l'inviolabilité du secret bancaire et plaidant l'ignorance ne suffit plus. Gloire à l'administration républicaine et réactionnaire du président Reagan ! Sa brutalité paie. Dans cinq cantons suisses sont ouvertes des procédures pour restitution de biens volés sur demande du gouvernement des Philippines.

Cory Aquino, excellemment conseillée par le tuteur américain, mandate trois hommes politiques et avocats respectés pour récupérer le butin : Guy Fontanet, de Genève, ancien conseiller d'État et conseiller national du Parti démocrate-chrétien ; le Zurichois Moritz Leuenberger, conseiller national du Parti socialiste ; le conseiller national Sergio Salvioni de Locarno, membre du Parti radical. Ces hommes honnêtes et expérimentés sont aujourd'hui épuisés. Car les conseillers fiscaux, les réseaux de convoyeurs du consortium bancaire helvétique ont fait un travail admirable de camouflage.

Manille est la capitale asiatique de la prostitution enfantine[1]. Des millions de coupeurs de canne à sucre vivent dans

---

1. Cf. Jean Dallais, *Philippines : les enfants du mépris*, Paris, Fayard, 1989.

le dénuement le plus complet. Leurs enfants tentent de survivre comme ils peuvent. La sous-alimentation, les maladies endémiques dues à la faim ravagent des centaines de milliers de familles sur les îles de Luçon, Mindanao, Vebu. En 1988, le produit national brut ne s'élève qu'à un peu plus de 35 milliards de dollars. (Il est d'environ 133 milliards de dollars en Suisse.) Les deux tiers des 58 millions de Philippins vivent dans ce que la Banque mondiale appelle pudiquement « la pauvreté absolue ».

Est-ce que ces enfants, femmes, hommes martyrisés ont la moindre chance de voir revenir au pays les milliards de dollars volés par Marcos et sa bande ? Honnêtement, je ne le crois pas. Des régiments d'avocats capables et brillants sont mobilisés au service de Marcos et de vingt-neuf autres titulaires de comptes séquestrés : ils interjettent recours après recours contre la moindre des décisions de procédure du plus modeste des juges cantonaux (généralement dépassé par l'enjeu de la bataille).

Bilanz, principal magazine économique de l'Europe germanophone, commente plaisamment la tragi-comédie qui se joue actuellement devant les tribunaux cantonaux : « La Suisse est l'île au trésor des dictateurs [...]. Elle a une réputation à défendre. Les avocats des grandes banques sont devenus de véritables producteurs de recours[1]. »

Après trois ans de procédure, de cris d'alarme des avocats Fontanet, Leuenberger et Salvioni, de pressions américaines, de jugements intermédiaires, d'appels, de recours, de conférences de presse, d'enquêtes journalistiques, d'aveux de convoyeurs, d'inquiétude et de honte croissantes du gouvernement fédéral, pas un sou n'est encore retourné aux Philippines.

1. *Bilanz*, Zurich, mars 1989, p. 113.

131

Un sage arrêt a été prononcé le 28 juin 1989 par la section de droit public du Tribunal fédéral, la plus haute instance judiciaire de la Confédération : faisant suite à un nouveau recours interjeté par les avocats des principaux receleurs du butin des Marcos, la section bloque l'entraide judiciaire internationale. Guy Fontanet, qui a été pendant douze ans ministre de la Justice de la République et Canton de Genève, sait de quoi il parle quand il me dit : « La loi suisse n'est pas une loi d'entraide judiciaire, mais une loi d'entrave [judiciaire][1]. »

La mort de Marcos, survenue en automne 1989, ne change rien à la situation : ses principaux héritiers, qui, eux aussi, figurent sur la liste des personnes dénoncées par le gouvernement philippin, prennent tout simplement sa place. Une réserve pourtant : si la justice suisse se montre peu coopérative lorsque le gouvernement philippin, par l'intermédiaire de ses avocats en Suisse, réclame la restitution des fonds volés, il en va tout de même autrement lorsque ce sont les États-Unis qui exigent des comptes. Un arrêt du Tribunal fédéral rendu le 2 novembre 1989 est, à cet égard, tout à fait éclairant : cette fois-ci, la plus haute instance judiciaire devait se prononcer sur la levée du secret bancaire à propos d'une somme de 100 millions de dollars versée aux Philippines au titre de l'aide américaine au développement. La justice américaine, supposant que ces fonds avaient été détournés et placés sur les comptes privés de Marcos à Zurich et à Genève, demandait l'entraide judiciaire internationale. Devant le choix douloureux d'être agréable à Imelda ou de donner suite à l'injonction des États-Unis, le Tribunal fédéral opte pour la seconde solution : il ordonne aux banques concernées de

---

1. Guy Fontanet, conversation avec l'auteur.

fournir aux Américains les informations requises concernant le recyclage des fonds détournés[1].

2. Les Haïtiens

Printemps 1986 : un autre dictateur tombe. « Bébé Doc » Duvalier est vidé comme un malpropre de son palais de Port-au-Prince. Le même scénario se répète : le tuteur nord-américain de Haïti saisit un grand nombre de documents dans les bagages du fugitif. Il les transmet aux nouveaux satrapes de Haïti. Duvalier, sa famille, sa belle-famille avaient puisé dans les réserves de devises de la Banque nationale, pillé les entreprises d'État, vendu à leur profit des licences d'importation, etc.

Juin 1986 : une demande d'entraide judiciaire internationale arrive au palais fédéral de Berne. Même embarras. Mêmes pressions américaines. Le président Reagan exige la restitution du butin à l'État haïtien exsangue après quarante ans de règne du clan Duvalier. Le Conseil fédéral est contraint — poussé par le courageux ministre socialiste des Finances, Otto Stich — à ordonner le séquestre provisoire des fonds Duvalier et Cie dans les banques suisses.

Cette fois, l'essentiel du butin se trouve à Genève. Les empires bancaires multinationaux — Union de banques suisses, Société de banque suisse, Crédit suisse, etc. — pratiquent en effet une judicieuse division du travail entre leurs filiales. Zurich draine les fonds en provenance d'Asie et du Moyen-Orient ; Genève, des pays d'Afrique, des Caraïbes et d'Amérique latine.

Le peuple misérable de l'île de Haïti a, comme le peuple

1. Cf. *Le Monde*, 4 novembre 1989.

philippin, très peu de chances de rentrer dans ses biens. Grâce à la farouche résistance des banques — on appelle cela « défendre son client par tous les moyens » —, aucune des multiples procédures engagées contre Duvalier et les siens n'est en voie d'aboutir. Pendant ce temps, « Bébé Doc » et son clan coulent une retraite somptueuse sur les hauteurs clémentes de Grasse.

3. Les Zaïrois

Le cas de Joseph Désiré Mobutu est différent puisqu'il s'agit d'un chef d'État toujours en exercice (depuis novembre 1965). Mobutu est efficacement conseillé par un certain Nello Celio. Avocat d'affaires à Lugano, membre du conseil d'administration du Crédit suisse, puis ministre des Finances, enfin président de la Confédération, Celio est, depuis de longues années, l'un des hommes les plus efficaces, les mieux rétribués des émirs. Grâce à sa vive intelligence et à son charme personnel, c'est aussi l'un des plus redoutables.

Le peuple zaïrois est un mendiant assis sur un tas d'or. Le sous-continent zaïrois, grand de 2,3 millions de kilomètres carrés, regorge de richesses. Les sociétés multinationales minières, bancaires, commerciales étrangères, en collaboration parfaite avec l'oligarchie locale, pillent consciencieusement le pays. A Kinshasa (plus de 3 millions d'habitants), Kisangani, Lubumbashi même, les familles de fonctionnaires ne mangent plus qu'une fois par jour. En 1988, l'inflation était de plus de 100 % (taux annuel). Le déficit budgétaire dépasse 5 % du produit national brut. Fin 1987, la dette extérieure s'élevait à plus de 7 milliards de dollars. Dans son bourg natal de Gbadolite, sur le haut fleuve, dans la forêt profonde qui, de la « Cuvette » (Zaïre), s'étend à travers les plaines bateke jusqu'au Gabon et à l'Atlantique, le maréchal a construit un véritable Versailles de la jungle. 37 000 habitants, des cases en torchis, en terre battue... et des boulevards illuminés jour et nuit, une kyrielle de palais, des villas d'hôtes, des piscines, une fabrique de Coca-Cola, un gigantesque barrage hydroélectrique (situé à 15 kilomètres du village, à Mobayi, sur l'Oubangui), une cathédrale où des pères jésuites enseignent le chant grégorien aux petits génies de la tribu, un aéroport ultra-moderne où atterrit chaque jour un Boeing 737 venant directement de Kinshasa.

Le Département d'État américain[1] estime officiellement à 5 milliards de dollars la fortune personnelle que Mobutu a placée à l'étranger. Quant au revenu moyen par habitant, il est de 180 dollars par an, ce qui fait du Zaïre le huitième pays le plus pauvre de la planète. Sous-alimentation, corruption, misère, répression policière font chaque jour des victimes. Face à la solide complicité du capital occidental avec le régime, d'une part, à la faiblesse, à la corruption et à l'indigence intellectuelle des quelques groupuscules d'oppositionnels exilés ou clandestins, d'autre part, l'horizon du peuple zaïrois est sombre : il se réduit à la promesse de nouvelles souffrances, d'humiliations répétées, de désespoir.

Mobutu, ancien indicateur de la police coloniale belge, est un des chefs d'État les plus complexes, les plus rusés que l'histoire tumultueuse de la décolonisation ait produits. Il jouit de protections étrangères solides, et est prêt à en payer le prix. C'est un négociateur hors pair. Exemple : lors d'une de ses nombreuses visites « privées » à Washington (février 1987), Mobutu conclut avec le Pentagone un accord par lequel il cède aux États-Unis, par un bail à long terme, la

---

1. Cité par *Libération*, 6 décembre 1988.

base militaire et aérienne de Kamina, au Shaba ; c'est désormais à partir de Kamina que les Américains organisent leur soutien logistique à l'UNITA angolaise. En contrepartie (outre les versements en devises en guise de loyer), le régime zaïrois obtient, en mai de la même année, un nouveau rééchelonnement de sa dette extérieure. Alors que le laxisme de sa politique économique est universellement reconnu, le régime arrache au FMI, en 1987, un crédit de 370 millions de dollars.

Le système dit de « sécurité intérieure » est redoutable : les unités de paracommandos entraînés par des Israéliens et des Français qui gardent Mobutu, son gouvernement, sa famille, sont pratiquement toutes originaires de la « Cuvette », de l'ancienne province de l'Équateur. Disposant de plusieurs palais présidentiels, d'un yacht somptueux, de demeures de repos, etc., Mobutu préfère dormir parmi les siens : son lieu de travail et de séjour ordinaire se situe au cœur du campement des unités de parachutistes de Kalina (quartier ouest de Kinshasa).

Cependant, contrairement à la plupart de ses homologues moyen-orientaux, asiatiques ou africains, Mobutu évite soigneusement de coloniser l'État et la société civile en y installant ses parents et ses amis. Il impose une *rotation* des cadres du gouvernement, du parti unique, de l'économie : périodiquement, toute la direction des sociétés d'État, des ministères, du parti, les gouverneurs des provinces, etc., sont remerciés et remplacés par des équipes nouvelles, qui se croient autorisées, chacune à son tour, à s'enrichir librement. La corruption, la prévarication, le pillage des deniers publics (la monopolisation des licences d'importation, d'exportation, etc.) sont ainsi érigés en méthode de gouvernement. Ce système assure la pérennité du pouvoir suprême. Chaque clan, chaque grande tribu, chaque réseau familial peut espérer passer un jour à portée de main des caisses publiques. Il lui suffit d'attendre, de rester docile et de faire preuve d'un minimum d'adhésion au régime[1].

Parfois se produit un petit imprévu. Exemple : un étudiant zaïrois contestataire installé en Europe, Nguzà Karl-i-Bond, est recruté comme ambassadeur et envoyé à Washington. Nguzà Karl-i-Bond devient Premier ministre en 1977. Puis il est destitué. Comme il ne supporte pas sa disgrâce, il part en exil à Bruxelles, où il publie un livre incendiaire contre le « tyran », prend contact avec des intellectuels européens anti-impérialistes, prétend négocier avec les États-Unis la constitution d'un gouvernement en exil. A cette époque, il m'adressera une lettre pleine de révolte, sollicitant un rendez-vous urgent à Genève et mon aide dans la dénonciation du régime. Quelques mois plus tard, le farouche opposant décide de rentrer à Kinshasa. Quelques liasses de dollars apportées par de discrets émissaires, la perspective de rouler bientôt de nouveau en Mercedes climatisée, d'occuper une luxueuse villa de fonction et de faire fortune ont eu raison de sa détermination. Karl-i-Bond, rappelé, devient ministre des Affaires étrangères, puis, de nouveau, Premier ministre.

J'évoque un souvenir. Un jour de printemps à Genève, le maître absolu du Zaïre, le maréchal Mobutu Sese Seko, débarque de son Boeing privé à l'aéroport de Genève-Cointrin. Tapis rouge, paroles mielleuses des officiels helvètes au pied de la passerelle. Portant sa toque de léopard (suggérant la filiation avec les Mwami Kongo), habillé d'une vareuse noire d'inspiration nord-coréenne (revue et corrigée par le coûteux génie des couturiers parisiens), le pli du panta-

---

1. Il va sans dire que cette rotation n'affecte ni Mobutu ni ses parents les plus proches.

lon impeccable, le maréchal se dirige, suivi de ses courtisans au sourire onctueux, vers le hall central, puis vers la sortie. Ses gardes du corps bousculent les gendarmes genevois agacés. La colonne de Mercedes, dont plusieurs sont blindées, se met en marche dans la lumière de l'après-midi printanier. Direction l'hôtel Noga-Hilton, quai Wilson.

Mobutu, sa cour, ses gardes, ses femmes sont en visite privée. Deux de ses enfants étudient à l'université de Genève. Le maréchal va loger quelques nuits au Noga-Hilton, chez son ami, le promoteur immobilier, courtier en pétrole et en coton africains, Nessim Gaon. Puis il ira rejoindre, pour un séjour de « repos », sa propriété de Savigny, immense demeure seigneuriale sur les hauteurs de Lausanne. Mais, pour l'instant, Mobutu reçoit ses banquiers genevois. Pendant ce temps, ses ministres, amis, officiers et femmes dévalisent les boutiques de luxe de la rue du Rhône, les bijouteries du quai des Bergues, payant les rivières de perles, broches de diamants, montres Rolex et bagues en or avec des liasses de billets de 1 000 francs suisses que les commis de banque viennent de glisser à leurs gardes du corps.

Devant l'hôtel, adossés à la balustrade du quai, quelques dizaines d'exilés zaïrois brandissent des pancartes maladroitement peintes de slogans usés : « Liberté pour les prisonniers politiques », « A bas la tyrannie ! », « Non à la torture de nos camarades ». Les promeneurs helvétiques de ce bel après-midi font un détour pour éviter la grappe d'exilés. Brusquement, de l'entrée de l'hôtel, surgissent des dizaines de gorilles zaïrois armés. Ils se ruent sur les étudiants. Ce sont de vrais professionnels : les jeunes tentent de fuir, mais les malabars les rattrapent, les uns après les autres. Par équipes de trois, ils les encerclent, les jettent par terre, les piétinent. La violence est telle qu'un membre du service de sécurité de l'hôtel,

138

révolté, appelle la police genevoise. Deux gendarmes arrivent. Ils n'interviennent pas. Accrochées aux arbres du quai, les pancartes déchiquetées des étudiants se balancent mélancoliquement sous la brise de l'après-midi.

L'action des gardes du corps du maréchal est parfaitement illégale : les étudiants manifestaient pacifiquement sur la voie publique. Plusieurs étudiants se rendront plus tard au poste de police de la rue Pécolat et déposeront plainte pour coups et blessures. Aucune de ces plaintes n'aboutira. Comme le disait un passant : « Des nègres ont tabassé des nègres... »

Mobutu est un des hommes les plus riches de la terre : son immense pays recèle des gisements considérables de diamants, manganèse, cobalt, uranium et cuivre. Une bonne partie de sa fortune se trouvant dans des sous-sols de banques suisses, les émirs locaux touchent annuellement de juteuses commissions sur le trésor du chef d'État zaïrois. Bref : les autorités fédérales n'ont rien à refuser au respecté client des grandes banques. Quelques jours plus tard, quelques-uns de ces opposants seront poussés dans un avion de la Swissair, menottes aux poignets pendant tout le vol. Direction : l'aéroport de Ndjili, Kinshasa. La police secrète zaïroise réceptionnera les exilés à leur descente d'avion. Les vacances de Mobutu Sese Seko ont vraiment commencé à ce moment-là.

Lors de son départ de Suisse, trois semaines plus tard, les journaux — admiratifs— m'apprirent que le maréchal avait dû louer un camion de gros tonnage afin de convoyer jusqu'à son Boeing privé la montagne de « cadeaux », d'achats de toutes sortes, que ses accompagnateurs avaient accumulés durant leur séjour au bord du Léman.

Post-scriptum : un de mes étudiants de l'université de Genève, Alphonse Maza, réfugié zaïrois, militant de l'opposition démocratique, vit sa demande d'asile politique refusée. Expulsé vers le Zaïre, il faussa compagnie à ses gardiens sur l'aéroport de Rome-Fiumicino, revint clandestinement en Suisse, fut arrêté et incarcéré pendant près d'un an, puis fut de nouveau expulsé : cette fois-ci, vers Cuba. Motif de Berne : il s'agit d'un dangereux agitateur dont l'activité délictueuse met en danger la sécurité de la Confédération. Les faits évoqués par le ministère fédéral de la Justice étaient d'une telle gravité qu'ils ne pouvaient — selon les dires du ministre — être communiqués ni à l'avocat de Maza, ni à Maza lui-même, ni à son comité de soutien, ni même aux parlementaires qui s'inquiétaient du dossier...

Après la chute d'Elisabeth Kopp, la commission de gestion du Conseil national exigea de voir le dossier : il était entièrement vide.

2

Le Moloch

Dans ses *Recherches sur la nature et les causes de la richesse
des nations*, Adam Smith écrit, en 1776 : « *Wealth like health
is taken from nobody* » (« la fortune, comme la santé, n'est
prise à personne »).

Erreur ! Les centaines de milliards de dollars qui fuient le
Zaïre, les Philippines, le Brésil, qui dorment, transformés en
francs suisses, sous le pavé de la Bahnhofstrasse de Zurich,
du Corso Helvetico de Lugano ou de la Corraterie de
Genève, ou encore qui transitent sur des comptes fiduciaires
avant de rejoindre les marchés boursiers de l'Occident, sont
le sang, la misère des peuples des trois continents. Pendant
qu'en Afrique, en Amérique latine, en Asie les enfants se
prostituent, meurent de faim, que les familles éclatent, que
les hommes, les femmes cherchent en vain un abri ou un travail, les milliards de la corruption, de l'évasion fiscale, du pillage, détenus par les « élites » dirigeantes de ces pays, s'ac-
cumulent en Suisse.

Philippe de Weck, aristocrate fribourgeois, catholique pra-
tiquant et ancien PDG de l'Union de banques suisses, a sans
doute été pendant de longues années l'un des émirs suisses les
plus puissants. Son témoignage est intéressant.

Dès sa retraite, il effectue une conversion miraculeuse.

Interrogé par des journalistes sur la fuite massive des capitaux (l'équivalent de 500 milliards de francs suisses) des pays les plus misérables du tiers monde, il constate paisiblement : « Cette fuite est indésirable. » Parlant du Brésil, Philippe de Weck dit : « Le Brésil, c'est terrible. Une trop grande partie du budget de l'État est consacrée à entretenir une armée de fonctionnaires qui ne foutent rien et empêchent les autres de travailler. On soutient des entreprises publiques non concurrentielles, pour qu'elles puissent exporter. C'est le règne de la corruption, du mépris des petits, l'écrasement des pauvres. Rien n'est fait en matière de santé et d'éducation. A côté, vous trouvez des gens richissimes. »

A la question : « Quelle solution ? » Philippe de Weck a cette réponse : « Il faudra bien que les élites corrompues, comme celles du Brésil par exemple, soient balayées et qu'un mouvement de masse amène des gens plus propres au pouvoir[1]. »

En juin 1987, Raul Francisco Alfonsin, président de la République Argentine, fait un voyage en Suisse. Il veut y récupérer le butin que les généraux ont déposé dans les banques suisses[2]. Voyage de la dernière chance pour le président d'une Argentine écrasée par sa dette extérieure. Voyage inutile... Après avoir buté sur le refus des émirs, Alfonsin tiendra une triste et inutile conférence de presse. Il dira : « 20 milliards de dollars appartenant à des particuliers argentins sont déposés sur des comptes privés à l'étranger. Là repose le tiers de la dette extérieure de mon pays. »

En 1988, les banques suisses ont encaissé — au titre du service de la dette des 122 pays du tiers monde — des sommes

1. Philippe de Weck, in *Tribune de Genève*, 2 juin 1989 ; et in *L'Hebdo*, 27 juillet 1989.
2. Quatre juntes militaires successives ont ravagé l'Argentine entre le 20 mars 1976 et le 10 décembre 1983.

supérieures à la totalité des crédits concédés à ces pays durant la même année. Or, le service de la dette exige de la part des gouvernements d'Afrique, d'Asie, d'Amérique latine la mise en œuvre de programmes d'austérité toujours plus draconiens.

L'UNICEF estime à 500 000 enfants le tribut annuel payé par le tiers monde aux mesures d'austérité.

Les milliards gagnés grâce au blanchiment de l'argent de la drogue ? Ce sont des centaines de milliers de gosses qui crèvent dans d'atroces souffrances dans toutes les capitales d'Europe et des Amériques, des familles détruites, le chagrin qui tue les parents ; le seul chargement du camion turc intercepté à Bellinzona grâce au courage suicidaire de Sam le Blond aurait — s'il était arrivé à destination — permis de fabriquer plus de 140 millions de *shoots* d'héroïne[1].

Les grandes cités helvétiques sont ravagées par la spéculation immobilière. Il manque plus de 7 000 logements dans la seule ville de Genève ; les loyers y sont tellement élevés que même les classes moyennes ne savent souvent où se loger. Une poignée de prédateurs tient la ville. Regorgeant de capitaux en fuite, les grandes banques multinationales les financent à concurrence de 120 % : ne sachant littéralement plus que faire de leur argent, elles avancent aux spéculateurs non seulement la totalité du prix d'achat de l'immeuble convoité, mais également les frais de notaire, les taxes d'enregistrement et les impôts[2] ! La corruption des satrapes d'Afrique, d'Asie, d'Amérique latine sévit donc deux fois : elle tue les pauvres du tiers monde et prive de logements les Suisses.

L'accroissement rapide des capitaux spéculatifs, des capi-

1. Cf. p. 31.
2. Depuis octobre 1989, une loi fédérale tente d'endiguer cette pratique.

taux flottants pose des problèmes dans tous les pays industriels. Michel Rocard : « Il y a quarante ans, les transactions financières étaient équivalentes aux échanges de marchandises. Aujourd'hui, elles sont de quarante à cinquante fois supérieures. Elles se font sans coût, à la vitesse de la lumière [...] Nous sommes sur un volcan[1]. »

En Suisse, le volcan est dévorant. Aucun chiffre n'est publié — et pour cause ! Il est admis pourtant que, dans ce pays, les transactions financières dépassent les transactions marchandes dans une proportion bien plus élevée encore que celle que dénonce Michel Rocard.

Comme les bourgeoisies européennes du temps de l'esclavage transatlantique, les émirs helvétiques affectionnent le commerce triangulaire. C'est pourquoi l'affaire de l'Irangate, marquée par la condamnation du colonel Oliver North et de ses complices par la justice américaine en avril 1989, continue à occuper les tribunaux suisses. Le commerce que développaient North et ses complices était aussi simple que lucratif : avec l'aide experte des émirs suisses (et la discrète assistance des services secrets de Berne), ils livraient des armes de guerre américaines et israéliennes à l'imam Khomeyni. L'imam payait en dollars, mais surtout en drogue (morphine-base et héroïne). Les parrains des réseaux turcs et libanais installés à Zurich écoulaient la drogue sur le marché international. Les parrains prélevaient leur écot et déposaient le solde sur des comptes numérotés ouverts dans quelques-unes des principales banques et sociétés financières de Genève et de Zurich.

1. Michel Rocard, exposé au colloque « Dialogue 2000 », Paris, 1989, cf. *Le Monde*, 28/29 mai 1989.

Sur ordre de North et de ses complices, les émirs organisaient ensuite le transfert des fonds vers l'Amérique centrale : ils finançaient la guerre de sabotages, de terreur et d'assassinats menée par les bandes de mercenaires à partir du Honduras contre le front Farabundo Marti au Salvador, et contre le gouvernement sandiniste du Nicaragua.

Résultat : les ayatollahs reçurent les armes sophistiquées dont ils avaient besoin pour mener la « guerre sainte » ; dans les villes d'Europe et d'Amérique, les gosses continuèrent à mourir d'overdose ; en Amérique centrale, les *contras* obtinrent les millions nécessaires pour continuer leurs campagnes de terreur contre les coopératives paysannes, les villages, les écoles du Nicaragua. Et, sur chacune de ces nobles opérations, les émirs suisses prélevèrent leur commission, en toute légalité.

Le chapitre xviii du livre des Lévites (édition française de la Bible de Jérusalem) mentionne l'étrange et terrifiante histoire de cette divinité moyen-orientale qu'on appelait Moloch. Les Cananéens lui sacrifiaient régulièrement des enfants enlevés aux tribus prisonnières, aux familles les plus pauvres. Devant l'immense et impassible statue de bronze dressée sur une montagne en plein désert, un feu brûlait jour et nuit. Chaque treizième lune, des colonnes d'enfants tremblant de peur, misérables, affamés étaient amenées devant le monstre ; ils étaient égorgés, puis leurs corps dépecés étaient jetés dans sa gueule grande ouverte.

Comme Moloch, l'oligarchie bancaire multinationale helvétique se nourrit de la chair, du sang des peuples captifs, astreints au tribut, des trois continents les plus pauvres.

TROISIÈME PARTIE

Le pourrissement de l'État

Pour la première fois, les mêmes ont été les maîtres de tout ce que l'on fait et de tout ce que l'on en dit.

Guy Debord, *Panégyrique*,
Éd. Gérard Lebovici, 1989.

1

Le sphinx

L'organisation fédérale de l'État met des pouvoirs exorbitants entre les mains du procureur de la Confédération : premier magistrat judiciaire du pays, il exerce les fonctions d'accusateur public et de chef du parquet pour les délits relevant directement de la juridiction fédérale ; pour ces mêmes délits, il est également juge d'instruction ; il dirige la police fédérale ; enfin, responsable du contre-espionnage et du renseignement, il est le chef suprême de tous les services secrets (à l'exception du renseignement et du contre-espionnage militaires, qui dépendent de l'état-major de l'armée)[1].

Autre particularité helvétique : créé en 1889, l'Office du procureur de la Confédération est surtout chargé de la sécurité de l'État. Situation unique en Europe : aucune loi ne gouverne (aucune commission parlementaire spéciale ne contrôle) la multiplicité des activités se rapportant à la sécurité intérieure et extérieure de l'État. Selon la noble for-

---

1. En France, le premier magistrat de l'ordre judiciaire est le premier président de la Cour de cassation, à Paris. Or, il n'y a pas de commune mesure entre ses compétences et celles du procureur de la Confédération. Celles du procureur de la Confédération sont uniques en Europe : aucun autre système judiciaire ne permet une telle concentration de pouvoirs, une telle confusion de fonctions, une telle accumulation de compétences entre les mains d'un seul dignitaire.

mule des commentateurs juridiques, cette activité se déroule dans le *Rechts-freier Raum* (dans un espace libre de droits). Le procureur, par exemple, accumule (et diffuse discrètement aux instances les plus diverses) des centaines de milliers de fiches sur des centaines de milliers de citoyens sans qu'aucun d'entre eux ait le moindre moyen légal de connaître (vérifier, contester, etc.) le contenu des fiches le concernant.

Inversement, aucune instance gouvernementale ou parlementaire ne peut obtenir du procureur qu'il poursuive et empêche de nuire les multiples réseaux de trafiquants de drogue, de blanchiment d'argent sale installés sur le territoire suisse. L'arbitraire est roi dans l'inhospitalière bâtisse, hérissée d'antennes, du procureur de la Confédération, à la Taubenstrasse à Berne.

Jusqu'en août 1989, le procureur de la Confédération était un petit homme gris au mutisme légendaire. Son nom : Rudolf Gerber. Dévoué membre du Parti radical zurichois — celui-là même auquel appartiennent la plupart des grands émirs, les époux Kopp, etc. —, Rudolf Gerber a d'abord été, pendant de longues années, procureur du canton de Zurich. De ternes yeux couleur jaune hyène derrière des lunettes épaisses, le poil gris, le geste lent, l'homme est un ennemi juré de la presse : il n'existe de lui que deux photos.

Rudolf Gerber est un sphinx habile et rusé.

Pour des raisons que tout le monde feint d'ignorer, cet obscur juriste fut propulsé, en 1973, sur le pont de commandement du navire amiral de la Taubenstrasse (le chemin des Colombes).

Rudolf Gerber m'inspire un sentiment de curiosité mêlée d'effroi. Sous sa direction, l'Office a fonctionné pendant plus de quinze ans comme une confrérie de templiers, une congrégation d'hommes (rarement de femmes) cimentée par le dévouement au chef : le grand maître et ses disciples[1]. Gerber parlait peu, laissait deviner sa volonté plus qu'il ne l'exprimait, mais régnait d'une main de fer sur ses subordonnés. La confrérie se sentait investie d'une mission : combattre par tous les moyens les ennemis de l'ordre public et de la sécurité de l'État, les espions innombrables, en bref : la subversion. Cette vision archaïque, dangereuse et fantasmagorique du pays, de sa situation en Europe, de son histoire, a empoisonné l'esprit de la grande majorité des policiers et des juristes — souvent de haut niveau — vivant, travaillant dans la forteresse de l'Office du procureur de la Confédération. Aucun disciple du sphinx n'ouvrira la bouche, ni devant les procureurs extraordinaires successifs ni devant la commission parlementaire d'enquête spéciale, chargée d'élucider les pratiques de la confrérie. Or, Gerber est un homme terne, insignifiant. Il n'a rien du leader flamboyant, de l'inspirateur charismatique, du chef enthousiasmant, capable d'ensorceler, d'entraîner, de mobiliser ses hommes.

Dès 1973, le petit homme aux colères homériques, redoutées par ses subordonnés, transforme la première magistrature du pays en officine de lutte anticommuniste tous azimuts, frénétique. Mais il ne voit rien des vastes et lucratifs agissements des trafiquants intercontinentaux d'héroïne et d'armes. Et, sur deux points, la politique de l'Office, sous sa direction, a entravé la lutte contre les trafiquants.

Premièrement : durant plus de quinze ans, il a fréquemment bloqué l'information nationale et internationale concernant les circuits financiers du blanchiment de l'argent de la

---

1. L'Office du procureur de la Confédération compte 231 policiers triés sur le volet, agents de renseignement, spécialistes des écoutes téléphoniques, juristes, etc.

mort, l'organisation des réseaux, les stratégies changeantes des parrains. Un exemple : le 15 mai 1985 se réunissaient à Lausanne 24 juges d'instruction, chefs de brigades des stupéfiants, procureurs des différents cantons suisses, rejoints par 2 spécialistes de la lutte antidrogue venus d'Italie. Il s'agissait de mettre au point une organisation informelle d'échange d'informations rapide entre les différentes instances cantonales, afin de pouvoir lutter efficacement contre les agents de la mort qui, dès les années 1983-1984, avaient choisi la Suisse comme principale base opérationnelle. (Rappel : les agents de la mort se repliaient sur la Suisse parce que la croisade menée contre eux par le président Reagan — au Panama, à la Barbade, etc. — commençait à porter ses fruits.) C'est en Suisse, on l'a dit, qu'ont lieu les opérations les plus délicates de tout le trafic de la mort : le blanchiment, le recyclage des profits. C'est le maillon faible de toute organisation criminelle intercontinentale. Pour tenter de paralyser les lavoirs, la transmission rapide et complète des informations est essentielle. Les juges, procureurs et policiers combattent des ennemis qui sont experts dans l'édification de réseaux morcelés, cloisonnés, éparpillés à travers les continents et les pays. Seule une vision d'ensemble permet au juge de détruire l'hydre. Au sein de cette organisation de coordination et d'échange d'informations créée à Lausanne, l'Office du sphinx devait assumer tout naturellement une fonction centrale.

Or, l'organisation est mort-née.

Danièle Wuethrich-Meyer, jeune juge d'instruction bernois qui, depuis plusieurs années, mène avec détermination son combat contre les narco-trafiquants, a été interviewée à ce propos par le journaliste Urs-Paul Engeler. Elle dit : « Tous les canaux d'information ont été bloqués. » Engeler lui

152

demande son avis sur le rôle particulier joué par le procureur de la Confédération. Danièle Wuethrich-Meyer répond : « J'ai constamment constaté une profonde passivité [...] malgré le fait que j'aie envoyé réclamation sur réclamation[1]. »

Quant aux enquêteurs appartenant aux différents services de lutte contre les narco-trafiquants et qui, souvent depuis des années, accomplissaient un travail harassant, courageux, dangereux pour eux et leurs familles, ils désespéraient doucement. Deux des plus énergiques d'entre eux s'appellent Jacques-André Kaeslin et Fritz Wenger. Pendant des années, les rapports de Kaeslin moisirent paisiblement dans des tiroirs hermétiquement fermés[2]. Quant à Fritz Wenger, épuisé, il quittera la police cantonale bernoise et ouvrira un bureau de détective privé.

Deuxièmement : l'Office du procureur ne réagit que par intermittence aux rapports, demandes d'entraide, informations, preuves, reçus de l'étranger. Ce manque de goût pour la collaboration internationale est dramatique pour la lutte contre les agents de la mort en Europe, mais également pour le combat antidrogue en Suisse. Exemple : en 1989, la cour d'assises du Seeland (pays des lacs, région centrale du canton de Berne) condamne un Turc de trente et un ans, *Altinseven Cengiz*, à quatorze ans de prison. Cengiz avait été pris avec 16,5 kilos d'héroïne. Le président de la cour voit en lui un « trafiquant de moyenne importance » (sous-entendu : qui paie pour des parrains plus puissants qui, malheureusement,

1. Cf. l'enquête d'Urs-Paul Engeler, in *Die Weltwoche*, Zurich, 21 septembre 1989.
2. Rappel : Kaeslin est ce téméraire fonctionnaire qui, en septembre 1988, voulut ouvrir une enquête de police judiciaire contre la Shakarchi Trading SA, qu'il soupçonnait d'être l'un des principaux lavoirs du réseau turco-libanais. Le sphinx brisa net le zèle de Kaeslin : il lui retira le dossier, et le gouvernement lui infligea un blâme disciplinaire.

échappent à la loi). L'instruction de l'affaire Cengiz a duré huit ans. Elle fut menée avec courage par le juge d'instruction Danièle Wuethrich-Meyer. Celle-ci était persuadée que Cengiz devait la conduire à un réseau important, aux ramifications internationales nombreuses. Faute d'informations, elle dut se contenter de l'inculpation du seul Cengiz. Peu de temps après le jugement de la cour d'assises, Danièle Wuethrich-Meyer reçoit la visite du journaliste Urs-Paul Engeler, qui lui remet des rapports d'enquête du groupe antidrogue de la Guardia di finanza, publiés en Italie. Danièle Wuethrich-Meyer n'en croit pas ses yeux : les documents en question dessinent l'organigramme du réseau dont Cengiz était un maillon mineur. Les carnets d'adresses de ses deux patrons, *Ali Osman Canan* et *Ceyhan Sabattin*, arrêtés tous les deux le 26 juin 1986 à Salzbourg, constituent des sources d'information de première importance. Or, le juge Wuethrich-Meyer, tenue dans l'ignorance des documents probablement bloqués à Berne, avait dû clore (et transmettre à l'autorité de jugement) son dossier en février 1989.

La fabuleuse richesse de l'oligarchie bancaire helvétique, des émirs de Zurich, Lugano, Genève, est notamment alimentée par les trafics les plus scandaleux, les capitaux en fuite, le produit de l'évasion fiscale. L'opinion publique s'en inquiète d'autant moins que des miettes non négligeables tombent de la table des puissants : à Genève, Bâle, Lugano, les salaires sont en moyenne de 30 % plus élevés que dans les régions françaises et italiennes alentour. La seule république de Genève accueille chaque matin plus de 28 000 travailleurs frontaliers français, venus des départements de la Savoie, de l'Ain et de la Haute-Savoie.

Le banditisme bancaire est un sport traditionnel en Suisse. Il est toléré par tous. Mais les affaires Musullulu, Mirza, Kisacik, Parlak, etc., en mettant au grand jour la complicité (involontaire ou intentionnelle) de certains hauts magistrats et fonctionnaires de l'État avec les agents de la mort, ont provoqué un véritable traumatisme dans l'opinion publique.

Sous la pression populaire et celle d'une partie de la presse, le Parlement fédéral constitue une commission extraordinaire d'enquête. Parallèlement, le gouvernement charge l'ancien président du Tribunal fédéral, Arthur Haefliger, de passer au crible la gestion de l'ensemble du département fédéral de Justice et Police.

Arthur Haefliger est un homme universellement respecté : originaire du canton de Soleure, il a derrière lui une longue et brillante carrière, qui l'a mené jusqu'aux plus hauts sommets de la magistrature helvétique. Il appartient en outre au même parti politique que Gerber et Kopp, le puissant Parti radical. Ce qu'il découvre l'effraie. Dans un rapport de soixante-dix-sept pages serrées, il dit : « Notre pays est devenu une plaque tournante du recyclage d'argent sale. La Suisse accuse un retard de dix à quinze ans en matière de lutte antidrogue. Cela n'est pas surprenant puisque le blanchiment d'argent [provenant du trafic international de la drogue] n'y est pas punissable. » Assisté par le juge d'instruction bernois Alexander Tschaeppaet, Haefliger aura interrogé quarante-trois personnes et consulté une montagne de dossiers. Pourtant, lui aussi aura buté sur le mutisme des phalanges fidèles et dévouées des collaborateurs de l'Office du procureur.

Avril 1989 : Arthur Haefliger remet son rapport au Conseil fédéral. Celui-ci convoque dans l'heure le procureur de la Confédération. Gerber menace. Il est trop puissant, dispose d'un trop grand nombre de fiches, pour être traité à la légère

— c'est-à-dire comme n'importe quel citoyen. Le gouvernement transige une première fois : l'homme gris est simplement renvoyé chez lui, à Kehrsatz. En échange de la promesse de ne plus remettre les pieds dans son bureau, il continuera à toucher son plein traitement, soit l'équivalent de 960 000 francs français par an.

L'extrême mansuétude — certains diront : la lâcheté — du gouvernement déclenche cette fois un ouragan. Le Conseil fédéral revient à la charge. Afin de tenter d'apaiser les vagues de protestation, une enquête disciplinaire est décidée contre le sphinx. Elle est confiée au juge bâlois Hans Dressler. Le 12 juin 1989, celui-ci remet son rapport.

L'impératif du gouvernement est clair : calmer les citoyens révoltés. Bon serviteur du pouvoir d'État, Dressler — avec une prudence de Sioux, une habileté de funambule — s'acquitte de cette tâche. Donnant l'impression de passer impitoyablement au crible la ténébreuse gestion du sphinx, il produit un rapport à peine intelligible, bourré de circonlocutions embrouillées, d'allusions augurales, de sous-entendus empruntés au langage canonique. Roland Barthes : « L'objet en quoi s'inscrit le pouvoir de toute éternité humaine est le langage[1]. »

Mais tous les faits ne peuvent être noyés par la rhétorique dresslérienne : certains surnagent obstinément.

Revenons un instant à l'affaire Simonian : en 1983, le procureur de Bâle-Ville, Jörg Schild, arrête Hovik Simonian[2]. Les principales sociétés de couverture de Simonian sont domiciliées au pied du Jura, dans la ville de Bienne. Elles sont administrées par un financier local, Walter Bieri, dont le

---

1. Roland Barthes, *Leçon inaugurale au Collège de France*, Paris, Éd. du Seuil, 1977.
2. Pour l'affaire Simonian, cf. p. 67-68.

fils, Adrian, nous l'avons vu, est juge d'instruction. A Bienne justement.

Le domicile des sociétés incriminées détermine l'attribution de juridiction. Le procureur bâlois Schild transmet donc le dossier à Bienne. Miracle ! Simonian est libéré, et le non-lieu prononcé. Il reçoit même une somme d'argent en dédommagement du préjudice subi.

Adrian Bieri, quant à lui, est promu : il exercera désormais ses talents auprès du procureur de la Confédération, Rudolf Gerber, chargé de la répression... du trafic de la drogue. La presse se saisit du cas Simonian. Au palais fédéral, à Berne, quelques députés posent des questions. D'autant plus que l'affaire du réseau turco-libanais, l'arrestation des frères Magharian, l'inculpation de Haci Mirza, les activités de la Shakarchi, etc., viennent d'être rendues publiques. Le choc dans l'opinion suisse et internationale est considérable.

Le sphinx commet alors une faute grossière : le 29 novembre 1988, il publie un communiqué officiel disant : Adrian Bieri n'a rien à voir avec l'enquête ouverte contre le réseau turco-libanais et les frères Magharian. Or, c'est justement Bieri qui — au niveau fédéral — est chargé de la lutte contre les trafiquants de drogue.

Rudolf Gerber, procureur de la Confédération et premier magistrat du pays, a donc dit une contrevérité. Voici les conclusions qu'en tire Dressler : « [Le juge Dressler] estime que des informations erronées diffusées par des organes officiels chargés de la protection de l'État de droit et de la poursuite des actes non conformes au droit ont une lourde signification parce que la confiance dont jouissent ces organes est mise en question. »

Un grand bravo pour le Sioux ! Sa déduction est d'une logique implacable[1].

La pratique de l'Office du sphinx pullule d'actes « incompréhensibles ». Nous avons déjà mentionné sa fâcheuse habitude de ne pas arrêter ni extrader certains parrains, pourtant recherchés par mandat d'arrêt international ou réclamés en bonne et due forme, après condamnation à l'étranger, par des pays amis qui ont signé des conventions d'extradition avec la Suisse. Exemple : sur le mandat d'arrêt international lancé par Interpol contre l'agent de la mort Yasar Musullulu, confortablement installé depuis des années, et sous son vrai nom, dans sa villa des bords du lac de Zurich, un fonctionnaire appose la mention : « Ne pas arrêter. »

Mais l'Office du dynamique procureur de la Confédération intervient aussi dans les procédures lancées par les autorités cantonales. Exemple : lorsque Jörg Schild, procureur de Bâle-Ville, ordonne la surveillance téléphonique — comme l'y autorise la loi — des principaux suspects de la « Pesetas Connection », une vaste organisation de contrebandiers, de trafiquants, de douaniers suisses (corrompus) et de banquiers véreux dont le centre est à Bâle, Berne annule cette surveillance.

Plus étonnant encore : lorsque la justice bâloise arrête finalement le chef de l'organisation, celui-ci avoue détenir les copies des protocoles d'écoute téléphonique remis par les PTT suisses à Schild !

Plusieurs faits inquiétants — des « actes non conformes à la loi », selon les mots de Dressler — sont mentionnés dans le rapport d'enquête disciplinaire contre le procureur de la Confédération.

---

1. Le juge Dressler reproche surtout au procureur de la Confédération d'avoir omis de rectifier l'information lorsqu'il s'aperçut qu'elle était fausse. Il parle à ce propos de « violation des devoirs de fonction ».

Successeur d'Elisabeth Kopp, le nouveau ministre de la Justice, Arnold Koller, hérite du dossier empoisonné. Il vient d'Appenzell. Il est démocrate-chrétien et ancien (et brillant) professeur de droit. C'est un homme profondément honnête. Mais lui aussi se heurte à la raison d'État. Malgré les enquêtes, les interrogatoires, les articles de presse, les débats parlementaires, le sphinx n'a rien perdu de sa minérale arrogance ni de son pouvoir. La forteresse de la Taubenstrasse résiste admirablement à l'ouragan. Les plus proches collaborateurs du sphinx lui restent acquis, corps et âme.

Arnold Koller, l'âme en peine, lit et relit le rapport de Dressler. Il publie un communiqué de presse dans lequel il accuse le sphinx d'avoir commis des « fautes graves ». Puis il rencontre Gerber dans le grand bureau boisé du ministre de la Justice au premier étage du palais fédéral : le sphinx, sûr de son pouvoir, confiant en ses fiches, négocie durement. La négociation tourne à son avantage : le gouvernement doit transiger une deuxième fois. Aucune sanction ne sera prise contre Gerber — qui prend une retraite anticipée.

Les agissements douteux, les blocages volontaires ou involontaires, les protections accordées par le plus puissant de tous les Offices fédéraux, celui du procureur de la Confédération, continuent néanmoins à préoccuper le gouvernement, le Parlement, la presse, l'opinion publique. Ainsi la commission d'enquête parlementaire consacre-t-elle plus de la moitié de son rapport aux pratiques de l'Office du procureur de la Confédération. Impossible de citer tous les faits nouveaux mis au jour par le rapport. Je n'en donne que deux exemples.

En 1982, un trafiquant de drogue écoulant de la cocaïne bolivienne est arrêté. Il tombe sous le coup de la loi fédérale sur les stupéfiants. Au cours de la procédure pénale, l'inculpé révèle que Klaus Barbie, ancien chef de la Gestapo à Lyon, citoyen bolivien, vient d'acheter des avions en Suisse et des blindés en Autriche. Comment paie-t-il ces armes ? Avec des fonds provenant de la vente de cocaïne. Jacques-André Kaeslin demande l'arrestation de Barbie et l'ouverture d'une enquête judiciaire. L'Office se contente d'édicter contre Barbie une interdiction formelle d'entrée en Suisse. Motif : « Sa présence en Suisse entraverait gravement les relations de celle-ci avec des États tiers[1]. » Pas un mot sur le trafic d'armes ni sur celui de la cocaïne. Examinant l'affaire Barbie, la commission d'enquête constate : « Le trafic d'armes utilise généralement les mêmes canaux que le trafic de la drogue. Les affaires de troc (drogue contre armes) sont nombreuses. En Suisse, le crime organisé profite grandement du fait que le trafic d'armes non autorisé reste impuni aussi longtemps que les armes ne transitent pas par le territoire suisse[2]. »

Deuxième exemple. Fréquemment, les agents de la mort mènent les uns contre les autres une guerre fratricide pour le contrôle d'un territoire, la maîtrise d'une organisation. Rappel : Carlos Lehder, prince des parrains de Medellin, a été livré à la DEA par Pablo Escobar ; il purge actuellement une peine de réclusion à vie dans un pénitencier américain. Novembre 1988 : un ambassadeur de Suisse en poste dans un pays d'Amérique latine reçoit la visite d'un agent de la mort du lieu. Celui-ci offre de lui communiquer le nom des courriers de la drogue entrant fréquemment en Suisse et l'identité des principaux lavoirs utilisés par son organisation. L'ambassadeur prend immédiatement contact avec Berne : il demande des instructions au Ministère public fédéral. Celui-ci lui répond qu'une prise de contact ne s'impose pas.

1. Rapport de la commission d'enquête parlementaire du 22 novembre 1989, *op. cit.*
2. *Ibid.*

Probablement troublé, l'ambassadeur suisse aura une réaction heureuse, quoique parfaitement illégale : il prendra contact avec l'ambassade américaine accréditée dans le même pays et lui indiquera, à l'intention des agents de la DEA, l'identité de l'informateur et le moyen de le contacter[1].

Le fréquent refus de l'Office du procureur d'ouvrir des enquêtes sur les lavoirs helvétiques de l'argent de la mort et son inaction face au crime organisé conduisent aujourd'hui la commission d'enquête à exiger son démantèlement et sa reconstruction sur des bases légales et des principes d'organisation entièrement nouveaux.

Post-scriptum : Zumikon est une charmante bourgade de la « côte d'or » (la côte des millionnaires) sur la rive orientale du lac de Zurich. Outre le couple Kopp, plusieurs directeurs de banque y habitent. Elisabeth Kopp y a même commencé sa fulgurante carrière politique : elle a été maire de Zumikon jusqu'en 1984. Après la chute du procureur de la Confédération, des journalistes courageux commencent à enquêter sur le passé du nouveau retraité. Ils découvrent un cadavre.

Le matin du 14 janvier 1976, un promeneur trouve dans les sous-bois de Rumensee, sur le territoire de la commune de Zumikon, le corps d'une belle femme brune et mince de quarante-neuf ans, presque entièrement dévêtue, visage contre terre. Il s'agit d'Anne-Marie Ruenzi, épouse d'un richissime homme d'affaires du lieu. L'autopsie révèle que la mort remonte à quatre jours. La femme a été chloroformée, puis tuée.

Anne-Marie Ruenzi était l'amie intime du sphinx. La police établit que le témoin principal dans cette affaire a téléphoné plusieurs fois à Gerber après la découverte du crime.

1. *Ibid.*

Pourtant, le juge d'instruction n'entendra jamais Rudolf Gerber, et l'affaire sera classée.

A l'époque, certains observateurs émettent des hypothèses. Le docteur Wespi, juriste et collaborateur du *Tagesanzeiger* : « Il n'est pas exclu que le parquet de Zurich ait voulu protéger Gerber. » La *Neue Zuercher Zeitung* du 7 juillet 1976 : « Dans l'assassinat d'Anne-Marie Ruenzi, on camoufle quelque chose. » Bravo, confrères ! Mais que cache exactement ce classement précipité ? Personne ne le saura jamais.

Le juge d'instruction chargé de l'assassinat d'Anne-Marie Ruenzi s'appelle *Walter Koeferli*, le fameux « Monsieur Non-Lieu ».

Mars 1989 : les Chambres fédérales viennent de lever l'immunité de l'ancien conseiller fédéral, Elisabeth Kopp. Un juge d'instruction doit maintenant procéder à l'enquête pénale sur les délits (abus de pouvoir, éventuellement corruption, etc.) de l'ancien ministre suisse de la Justice. Qui sera chargé de cette délicate besogne ? « Monsieur Non-Lieu », évidemment. Cette fois, le gouvernement jette le bouchon un peu trop loin. De grands quotidiens, des hebdomadaires protestent. La commission d'enquête s'indigne au Parlement. Le premier procureur extraordinaire, Hans Hungerbuehler — celui-là même qui avait provoqué la chute politique du ministre —, mais également le président de la commission vont jusqu'à alerter la chambre d'accusation du Tribunal fédéral. Rien n'y fait. Le gouvernement maintient sa décision : c'est le perspicace Walter Koeferli qui, avec toute la lenteur et la prudence requises, instruira l'affaire Elisabeth Kopp.

Le résultat, vous le connaissez.

2

L'intellectuel critique
comme ennemi de la nation

Terre de rêve, paradis fantasmagorique, havre de bonheur dans l'imagination des peuples alentour, la Suisse, lentement, se transforme en un pays de cauchemar.

Un paradoxe gouverne cette déchéance : le contrôle de l'État, l'ordre public qu'il instaure, s'étendent sans cesse. En 1989, un cinquantième des travailleurs sont employés par une collectivité ou une entreprise publique suisse (État, canton, municipalité, PTT, Chemins de fers fédéraux, etc.). Le flot des lois, arrêtés, ordonnances votés par le Parlement ou le gouvernement fédéral enfle sans cesse. En 1950, le recueil des actes fédéraux (l'équivalent de la collection du *Journal officiel* en France) comprenait 14 volumes et 12 000 pages ; en 1988, 35 volumes et 37 000 pages. A cette marée de lois et de décrets, il faut ajouter chaque année les dizaines de milliers d'actes législatifs que produisent les 26 États membres de la Confédération et les 3 021 communes du pays[1].

Mais, en même temps que gonfle le nombre des fonction-

1. La minuscule (et très belle) république de Genève a une population de 360 000 personnes. Or, l'État de Genève compte 23 000 fonctionnaires et réussit à dépenser 4 milliards de francs suisses par an (deuxième budget des 26 États membres de la Confédération).

naires, qu'augmentent les impôts, qu'enflent les budgets et que se multiplient les décrets, ordonnances et lois, en bref, que progresse la suradministration du pays, l'État perd dramatiquement de son pouvoir. Juges impuissants ou complices, policiers aveugles, procureurs au comportement douteux, fonctionnaires complaisants : le présent livre en fournit la moisson. Le pouvoir d'État de la plus vieille démocratie d'Europe est menacé de dégénérescence. Quelles sont les raisons profondes de cette lente et inexorable pourriture d'institutions formellement admirables ?

Entre la société d'État et la société civile, il existe une vivante dialectique, une subtile alchimie. Quand la seconde s'englue dans l'amoralité et le cynisme, la première sombre dans l'inefficacité et l'arbitraire.

Rappel (monotone) : en Suisse, les classes dirigeantes de la société civile — les émirs bancaires, les seigneurs des empires industriels multinationaux, du commerce transcontinental, les spéculateurs immobiliers, les trafiquants d'armes ou de devises — tirent principalement leurs immenses richesses et leur pouvoir planétaire de la surexploitation des peuples pauvres, de l'évasion fiscale des pays européens, du recel et du blanchiment du butin des trafiquants internationaux de la drogue et des capitaux en fuite du tiers monde.

L'immoralité des pratiques financières, la volupté immodérée du profit, le banditisme bancaire élevé au rang des beaux-arts nourrissent et pourrissent la société civile. Comme un navire, un pays a une ligne de flottaison. Si la morale publique tombe au-dessous de cette ligne, le navire coule.

Jean-Jacques Rousseau, proscrit et exilé, se glorifia sa vie durant du titre de « citoyen de Genève ». En 1755, il dédiait son premier grand texte politique, le *Discours sur l'origine et les fondements de l'inégalité parmi les hommes*[1] — pourtant imprimé à Amsterdam et soumis aux académiciens de Dijon — aux « Magnifiques, très honorés et souverains Seigneurs, Syndics de la République de Genève ». L'un des principaux atouts de notre patrie, dit-il, est sa petitesse. Une petite république produit nécessairement des réseaux de connaissances mutuelles nombreuses, une imbrication permanente et intime entre gouvernants et gouvernés. Selon Rousseau, la petitesse du territoire — le nombre réduit de citoyens — permet aux gouvernés de contrôler quotidiennement les actes du pouvoir, et constitue donc l'une des principales garanties de l'épanouissement de la démocratie. Or, c'est justement cette exiguïté géographique, démographique et sociale, cette « petitesse », la constante confusion des hiérarchies, en bref : l'intime et complexe imbrication entre les structures de la société civile et celles de l'État, qui fait aujourd'hui le malheur de la Suisse.

Après Israël, la Suisse est le pays le plus militarisé de la planète : 650 000 soldats et officiers pour une population autochtone de 5,8 millions d'habitants. L'État central gaspille tous les ans plus de 5 milliards de francs suisses, soit près du cinquième du budget fédéral, pour l'achat d'armes sophistiquées, généralement inutiles ou rapidement désuètes. Or, tout émir (comme tout homme politique) qui se respecte est au moins colonel dans cette milice (il n'existe, fort heureusement, ni généraux ni armée professionnelle en Suisse). Tous les ans, et jusqu'à l'approche de la cinquantaine, les émirs, leurs employés et l'ensemble de leurs concitoyens mâles sont convoqués pour une période militaire de trois semaines, appelée « cours de répétition ». A ces cours s'ajoutent de

---

1. Jean-Jacques Rousseau, *Discours sur l'origine et les fondements de l'inégalité parmi les hommes*, Paris, Gallimard, coll. « Idées », 1965.

longs mois d'école militaire (école d'état-major, etc.) pour les officiers destinés à gagner du galon. Dans *Jonas et son vétéran* de Max Frisch, le grand-père dit à Jonas : « Imagine qu'un jour tout homme de ce pays vienne à son travail vêtu de son uniforme militaire ! [...] Tu verrais : ceux qui nous donnent des ordres dans l'armée nous commandent tous les jours. L'armée est une belle école d'obéissance [...] le Suisse apprend à ramper dès l'adolescence... » Le grand-père conclut : « Au fond, vois-tu, Jonas, nous obéissons toujours aux mêmes[1]. »

Outre l'intime imbrication entre les hiérarchies politique, économique, militaire, une autre structure typiquement helvétique contribue aujourd'hui au pourrissement de l'État central : c'est l'organisation outrageusement fédéraliste de la Confédération. Rousseau la tenait pour un bienfait[2]. Je suis d'un avis opposé : je constate qu'aujourd'hui cette organisation fédéraliste et l'idéologie consensuelle qu'elle produit constituent un malheur.

Selon la belle expression de Denis de Rougemont, la Suisse est une « *Willens-Nation* », une nation dont la seule réalité *objective* consiste dans l'ardent désir *subjectif* de ses membres. Composée de quatre peuples dont la langue, la culture et les religions sont radicalement différentes, dépourvue de véritables institutions étatiques centrales, la Suisse n'existe que parce que les Suisses le veulent bien. Les forces centrifuges sont actives, dynamiques, constamment menaçantes. Entre les différentes parties du pays, notamment

---

1. Max Frisch, *Jonas et son vétéran*, Yvonan, Éd. Bernard Campiche, 1989 (trad. de l'allemand par Benno Besson et Yvette Z'Gragen). La première mondiale de la pièce de Frisch eut lieu en allemand et en français, dans une mise en scène de Benno Besson, au Schauspielhaus de Zurich et au théâtre de Vidy, à Lausanne, en octobre 1989.
2. Robert Derathé, *Jean-Jacques Rousseau et la Science politique de son temps*, Paris, Librairie Vrin, 1979, 2ᵉ éd.

entre les régions latines et alémaniques, l'incompréhension culturelle est totale, les heurts psychologiques quotidiens.

Le fédéralisme est un credo sacré : la souveraineté des vingt-six républiques réunies dans la Confédération est intouchable. Cas unique en Europe : en tant qu'État national, l'État suisse est une formation sociale d'une grande et permanente fragilité. Le spectre de l'éclatement rôde comme un fantôme dans les bureaux de Berne. Le gouvernement fédéral, qui fait coexister en son sein tous les représentants des principaux partis politiques, régions linguistiques et religions du pays, est l'expression de cette crainte panique de l'éclatement. Il figure la conscience de l'extrême fragilité du lien confédéral.

Corollaire : les Suisses ont une peur maladive de toute forme de conflit. Le consensus, à n'importe quel prix, y est la valeur suprême. En conséquence, il n'y a pratiquement aucun débat politique en Suisse. Toute critique sociale rompant avec le consensus est immédiatement et logiquement considérée comme une attaque contre la nation suisse, et l'intellectuel critique est regardé comme un ennemi.

Je constate un curieux phénomène : plus les pratiques des dirigeants de la société civile et, par conséquent, celles des mandataires de l'État se dégradent, plus l'idéologie dominante du pays, porteuse de valeurs prétendument immuables, devient rigide, mensongère, dogmatique. Une conscience collective quasi homogène gouverne aujourd'hui l'Émirat helvétique. Ce système d'auto-interprétation est investi par le mensonge. Le pays a une perception et une représentation de lui-même entièrement fausses. La façon dont la classe dominante, en l'occurrence les émirs des sociétés transnationales, bancaires, industrielles et leurs alliés politiques, se représente sa pratique ne constitue évidemment pas une théorie scienti-

167

fique de cette pratique. Au contraire, la classe dirigeante produit des explications qui donnent de sa pratique une représentation fausse, destinée à la légitimer comme logique, innocente, naturelle, inévitable, au service de la nation et de la collectivité. Mais cette idéologie mystifie aussi ceux qui la propagent. Il n'est pas rare, en effet, que les principaux protagonistes du recyclage de l'argent sale soient persuadés du caractère bienfaisant de leur mission.

Au risque de paraître simpliste, je dirais qu'un grand nombre de Suisses, aujourd'hui, ne peuvent percevoir — et, à plus forte raison, combattre — le lent pourrissement de leurs institutions. Ils manquent pour ce faire d'instruments analytiques adéquats. Exemple : en juillet 1989, Yves Lassueur interroge le procureur bâlois Schild, promu la veille chef d'un nouveau service fédéral de lutte contre le trafic international de la drogue[1]. Schild dispose, dans sa ville de Bâle, aux frontières de la France et de l'Allemagne, d'une vaste expérience des stratégies commerciales et financières des parrains.

QUESTION D'Y. LASSUEUR : *En faisant arrêter un douanier marron à Genève dans le cadre de la « Pesetas Connection », vous venez de relancer la question qui ébranle la Suisse depuis plusieurs mois : le crime organisé dispose-t-il d'appuis bien placés dans ce pays ? Votre avis, vrai ou faux ?*

RÉPONSE : Écoutez. Je travaille sur des enquêtes relatives aux réseaux de la drogue depuis 1981 et je n'ai cessé de constater qu'il y avait des trous. Comme si nos adversaires, disposant de bonnes informations, avaient toujours trois pas d'avance sur nous. Ces trous ne se situent pas seulement au bas de la

1. Yves Lassueur, « Les trous de la corruption », in *L'Hebdo*, 6 juillet 1989.

pyramide, mais au sommet. J'ai donc cessé de dire qu'il n'y a pas de corruption en Suisse.

Quels sont les indices qui vous ont amené à ces conclusions ?

En 1984, nous avons procédé à un certain nombre d'écoutes téléphoniques de trafiquants. Aujourd'hui, des prévenus nous disent qu'ils ont reçu à l'époque un double des protocoles que nous avions établis lors de ces écoutes. Je n'en ai pas encore la preuve formelle — ça viendra peut-être un jour —, mais, en attendant, je ne doute pas que ces informateurs disent vrai. La question est de savoir qui leur a fourni ces copies secrètes. Il n'y a que trois possibilités. La fuite peut provenir des PTT. De Berne. Ou de mon propre office. Je ne désespère pas de la trouver un jour.

D'autres exemples ?

En perquisitionnant l'autre jour chez le passeur basque que nous venions d'arrêter, nous avons eu la surprise de trouver le numéro de téléphone secret du local des PTT bâlois où l'on procède aux branchements d'écoutes téléphoniques. Ici encore, nous ignorons pour l'instant comment le réseau s'est procuré ce numéro. L'enquête est en cours.

Ce numéro permettait aux trafiquants de savoir qui était sur écoute et quand ?

Je ne peux pas vous en dire plus.

Le dialogue continue sur le même registre.
En bref : dans son interview avec Lassueur, mais aussi dans ses entretiens avec d'autres journalistes, le procureur bâlois Schild suggère clairement l'infiltration par le crime organisé

de certaines des plus hautes instances de la Confédération et des cantons. La *Neue Zuercher Zeitung*, principal organe des intérêts du capital multinational en Suisse, journal de réputation mondiale, s'en émeut. Sa rédaction s'adresse à Schild, lui téléphone, avec insistance, à plusieurs reprises. Schild prend-il la mesure de ce qu'il dit ? Quelle signification exacte faut-il attribuer à ses déclarations ? Se rend-il compte de la gravité de ses accusations, de leurs conséquences sur la crédibilité du gouvernement, de la justice, des institutions ? Ainsi mis sous pression, Schild se prête à une nouvelle interview — cette fois-ci, sur les ondes officielles de la Radio suisse alémanique. Il minimise ses constatations antérieures et adoucit considérablement ses conclusions.

Doit-on accuser les rédacteurs de la *Neue Zuercher Zeitung* d'être complices de l'amoralité du procureur de la Confédération et des autres instances dénoncées par Schild ? Évidemment non ! La réponse telle que je la comprends et telle qu'elle est suggérée par l'évolution idéologique est plus banale : les distingués intellectuels, conservateurs et patriotes, qui peuplent la rédaction de la *Neue Zuercher Zeitung*, ne peuvent *concevoir* ce qui relève pourtant de l'évidence, à savoir la pénétration de l'État par le crime organisé.

3

Un pays malade

Depuis 1959, tous les grands partis politiques sont équitablement représentés au gouvernement fédéral : deux socialistes, deux radicaux, deux démocrates-chrétiens, un représentant de l'Union démocratique du centre. L'homogénéité du pouvoir exécutif est cimentée par d'autres dispositions constitutionnelles ou coutumières : catholiques et protestants sont représentés à la tête de l'État ; la présidence, largement honorifique, est assumée, selon un système de rotation annuelle, par chacun des conseillers fédéraux ; l'origine géographique des ministres est prise en compte : aucun canton ne peut déléguer plus d'un conseiller fédéral, et trois latins (romands et tessinois) siègent aux côtés de quatre alémaniques.

Pourtant, ce gouvernement ne peut être dit de coalition : entre les partis qui le composent, il n'existe ni accord de coalition ni programme commun digne de ce nom, tout juste une vague déclaration d'intention renouvelée tous les quatre ans. Le consensus sacralisé et l'immobilité érigée en vertu politique sont le secret de la minérale rigidité du système suisse.

Confrontés à l'infiltration des plus hautes instances de l'État par les narco-trafiquants, les partis d'opposition de tout autre pays civilisé dénonceraient les complicités, les lâchetés,

171

les inepties du gouvernement en place. Aux élections sui-
vantes, ce gouvernement serait chassé. La nouvelle équipe
conduirait les enquêtes ; remettrait à la justice les fonctionnaires corrompus ; ferait voter les lois nécessaires pour resti-
tuer à l'État sa capacité de contrôle, de défense contre les
infiltrations.

En Suisse, cette méthode est inopérante, car il n'existe pas
d'opposition politique capable d'imposer l'alternance par voie
électorale. Tous les grands partis politiques, censés représen-
ter les principales forces sociales du pays, participent au pouvoir exécutif, et les quelques petits partis qui siègent au Parlement n'ont qu'un rêve : arracher un strapontin aux plus rands.

Contrairement aux autres démocraties européennes, la
Suisse ne connaît pas de loi sur l'*incompatibilité* entre les
mandats de député et de membre d'un conseil d'administration (de directeur, de consultant, etc.) d'une entreprise privée. A peine élus, un grand nombre de législateurs
sont invités à rejoindre le conseil d'administration des
grandes banques, des sociétés multinationales industrielles ou
commerciales, des sociétés financières, des empires immobiliers ou des conglomérats d'assurances. Ces mandats d'administrateur constituent de formidables prébendes : pour
quatre ou cinq séances par an, où il n'ouvre généralement pas
la bouche, l'heureux député-conseiller d'administration peut
empocher jusqu'à 200 000 francs suisses. Certains de mes collègues cumulent jusqu'à soixante-dix mandats.

Inutile de dire que, dans la plupart des cas, rien ne prédes-
tine le chanceux député à de tels honneurs : ni par ses
connaissances professionnelles ni par sa formation, il n'est de
la moindre utilité à la banque ou à la société industrielle qui
le rétribue. Tout ce que les émirs lui demandent, c'est de
voter au Parlement conformément à leurs instructions. Ce

système est légitimé par le fait que les députés ne reçoivent aucun traitement sérieux, mais une simple indemnité par jour de séance effective (plus une petite allocation pour l'étude des dossiers).

L'actuelle Confédération helvétique vit sous le régime de la Constitution de 1848. Celle-ci est née d'une guerre civile opposant les républicains, héritiers des idéaux de la Révolution française, aux patriciens, conservateurs partisans de l'ancien régime oligarchique. La Suisse est la seule terre d'Europe où la grande vague révolutionnaire de 1848 n'a pas été brisée par les forces de la réaction. La victoire républicaine de 1847-1848 marque le passage de la Fédération entre États (cantons) souverains à une Confédération où les États membres n'ont plus que certains droits de souveraineté limités[1]. Dans l'ancienne Fédération des États suisses, la seule instance centrale était la Diète, assemblée solennelle où se réunissaient — en des lieux toujours changeants —, une, deux ou trois fois par an, les envoyés des cantons souverains. Chacun des membres de la Diète ne pouvait voter que selon les instructions à lui remises par le gouvernement de son canton d'origine. L'une des principales victoires arrachées par les révolutionnaires de 1848, fondateurs de la Confédération contemporaine, fut l'abolition du mandat impératif. Ce principe est ancré dans la Constitution.

La théorie officielle est la suivante : un député ne vote que selon sa conscience. La conscience est l'instance suprême du représentant élu du peuple... Étant donné sa dimension fondatrice, cette théorie revêt un caractère quasiment sacré. Elle est constamment invoquée par les députés vendeurs de leurs votes. Théorie imparable, qui ne supporte pas le débat.

1. Cependant, même dans la Constitution de 1848, les États membres, c'est-à-dire les cantons, restent les détenteurs premiers de la souveraineté : ils ne font que déléguer certaines compétences à la Confédération.

Pourtant, la pratique qu'elle justifie est insupportable. Quelques exemples récents, choisis au hasard :

— Le Conseil fédéral, soucieux de limiter le gaspillage de l'énergie, propose l'inscription dans la Constitution d'un article correspondant. La Chambre haute du Parlement, le Conseil des États, désigne — comme l'exige le règlement — une commission chargée de préparer le débat. Des treize commissaires, six sont membres d'un ou de plusieurs conseils d'administration d'entreprises d'électricité.

— Comme nous l'avons vu, la discussion de la nouvelle loi fédérale sur l'interdiction du blanchiment de l'argent de la drogue donne lieu à d'âpres débats. Le texte de loi qui en sort est totalement édulcoré. Il ne gênera que très marginalement l'activité des grands lavoirs helvétiques. L'une des grandes banques multinationales les plus directement concernées par cette loi est le Crédit suisse. En deux ans, cette dernière a lavé 1,4 milliard de francs suisses appartenant au réseau turco-libanais. Trois députés se sont particulièrement distingués au Parlement pour l'affadissement de la loi. Ces trois héros siègent au conseil d'administration du Crédit suisse.

— En Suisse, la législation sur les sociétés anonymes est l'une des plus archaïques de tout le monde industriel. Sous la pression des petits actionnaires, et à la suite de nombreux scandales, le Conseil fédéral propose au Parlement une révision globale de la loi, pour renforcer la transparence, la responsabilité des administrateurs et les contrôles. Contre cette révision, une contre-attaque est victorieusement menée par des députés dont la plupart font partie des conseils d'administration des plus grandes sociétés anonymes du pays.

— Les succès remportés par les députés-conseillers d'administration sont innombrables : non seulement ils altèrent, édulcorent, parfois liquident purement et simplement les pro-

174

jets de loi contraires aux intérêts de leurs bienfaiteurs, mais ils réussissent souvent aussi à bloquer l'évocation même d'une mesure qui risquerait de gêner ces derniers. Exemple : l'impôt sur les comptes fiduciaires détenus par les grandes banques multinationales et les discrètes banques privées gestionnaires des fortunes étrangères ; cet impôt, dont l'instauration, pourtant, satisferait à une élémentaire exigence d'équité fiscale, a été taillé en pièces en commission préparatoire.

Le système de la permanente et légale confusion entre le mandat d'élu du peuple et celui d'élu d'un ou de plusieurs émirs est profondément nocif pour une autre raison : non seulement il crée des dépendances financières, qui altèrent, pervertissent, corrompent l'institution parlementaire, mais il engendre aussi de véritables dépendances psychiques et mentales.

Je me souviens d'un lumineux matin d'août 1989, au palais fédéral de Berne. Au rez-de-chaussée, dans une salle boisée aux fauteuils confortables, siège la commission du Conseil national chargée d'examiner l'initiative parlementaire Feigenwinter. Hans Rudolf Feigenwinter est avocat à Rheinach, en Bâle-Campagne. C'est un petit homme costaud, remuant, vif, au tempérament batailleur, myope. Il exige l'abolition pure et simple de l'un des très rares impôts bancaires existant encore en Suisse, celui qui frappe d'une taxe, prélevée au moyen d'un timbre, la transmission d'actions et autres titres.

La commission est présidée par le rayonnant Peter Spaelti, conseiller national zurichois, président-directeur général de la Winterthur-Assurances[1]. Vaguement gênés par la brutalité du projet Feigenwinter, les commissaires décident — avant de passer au vote — de tenir des auditions *(hearings)*.

1. Cf p. 14-15.

Premier expert à se prononcer : Jean-Pierre Cuoni, président de l'Association des banques étrangères en Suisse. Petit homme rond, joyeux, intelligent, content de lui, il décrit la misère des banques en Helvétie. Maintenir la taxe ? La catastrophe ! Les clients, par centaines de milliers, liquideraient leurs comptes numérotés pour chercher ailleurs des havres plus accueillants.

Deuxième expert : le directeur général de la Société de banque suisse, Ernst Balsiger. Les cheveux en brosse, le visage sec, le débit mesuré, il embouche la même trompette que celle du volubile Cuoni : députés du peuple souverain, abolissez cet impôt maudit ! La prospérité de la nation en dépend.

Vient enfin un monsieur élancé dans la quarantaine, dont les yeux gris sont mis en valeur par une pochette verte fondue dans le discret ton gris d'un costume magnifique. Élégance raffinée, voix tranchée. Charles Pictet, associé de MM. Pictet et Cie de Genève, dirige la plus grande banque privée du pays[1].

Pictet et Cie a ceci de particulier que les associés qui la possèdent et la dirigent sont responsables, sur leurs biens personnels, devant chacun de ses clients. Depuis plus de deux cents ans, ils tirent de ce système un orgueil justifié, témoignant à chaque instant de leur supériorité sur les émirs des empires multinationaux qui, eux, ne sont que des employés irresponsables dont le risque se limite à la perte de la prime de fin d'année.

1. En Suisse, on distingue les « grandes banques » d'affaires multinationales, qui couvrent l'ensemble des services bancaires (et qui sont bien sûr entre des mains exclusivement privées), des « banques privées », plus petites, plus anciennes — la plupart datant du xviiie siècle —, spécialisées essentiellement dans la gestion de fortunes.

L'homme semble tenir en piètre estime ces maladroits, incultes et immobiles élus du peuple. Il les attaque tête baissée, le sourire aux lèvres, contenant à peine son dédain. A l'intention des commissaires, il projette sur un écran blanc les organigrammes, chiffres de bilans et circuits financiers de l'empire Pictet. Genève, Tokyo, Luxembourg, Montréal... Le client dépose son magot à Genève, et celui-ci est immédiatement transféré dans une des succursales de Pictet et Cie à l'étranger. Ainsi, point d'impôt, pas de timbre. Un député de Genève lève timidement la main : « Existe-t-il une taxe dont le Parlement pourrait débattre et que vous seriez prêt à payer à la Confédération helvétique ? » La réponse de Pictet est nette : « Aucune. Tout impôt sur les papiers-valeurs, quel qu'il soit, est nocif pour notre compétitivité face à nos concurrents étrangers. » Les commissaires sont aux anges.

On passe au vote : 12 voix pour, 2 voix contre, 3 abstentions. La commission exige l'abolition de l'impôt.

La confusion des charges et des fonctions est intériorisée, pratiquée par les seigneurs comme par les laquais. En voici un exemple. Renate Schwob est une jeune femme brillante, élégante, jolie. Elle est juriste au ministère fédéral de la Justice, chargée de la préparation de la loi contre le blanchiment de l'argent de la drogue. Sa patronne directe est, à l'époque, le conseiller fédéral Elisabeth Kopp. 1989 : Elisabeth Kopp est chassée du pouvoir, les écoutes américaines ayant relevé son coup de téléphone providentiel à son époux, lui-même, on l'a dit, vice-président de la Shakarchi Trading SA. Le ministre entraîne Renate dans sa chute. Que fait aujourd'hui la charmante Renate ? Elle est juriste au Crédit suisse. Or, le Crédit suisse est la banque de la Shakarchi, celle qui, par inadvertance, a lavé une première fois le fabuleux butin du réseau turco-libanais. Renate connaît « sa » loi... et ses lacunes[1].

Interrogé au Parlement sur ces pratiques étonnantes, le Conseil fédéral répondra qu'elles sont parfaitement légales et qu'en les interdisant on réduirait l'attrait du service public. Nettoyer les plaies purulentes ? Impossible dans le système actuel : la gangrène infecte le corps social. Je ne vois nulle part des chirurgiens capables de procéder aux amputations nécessaires. Aucune équipe médicale outillée pour administrer le traitement indispensable n'apparaît à l'horizon. Je le répète : pour nettoyer les écuries fédérales, il faudrait des forces d'opposition déterminées ou, du moins, une alternance des équipes gouvernementales. Or, il n'existe en Suisse ni opposition efficace ni alternance. L'opposition parlementaire est rudimentaire. Celle qui agit en dehors du Parlement est insignifiante, marginale, décriée et dénuée de pouvoir. Le système exclut toute réforme en profondeur.

Restent la dissidence individuelle, l'exil intérieur que choisissent aujourd'hui un nombre important de citoyens. L'abstention électorale augmente régulièrement depuis environ dix ans[2]. Dernier exemple en date : l'élection du Conseil d'État (gouvernement) de la République et Canton de Genève, le 12 novembre 1989. Sur 198 973 électeurs inscrits, 66 153, soit exactement 33,25 %, se sont rendus aux urnes (soit une chute de 11 % par rapport à 1985).

---

1. Avec ses coaccusées, Elisabeth Kopp et Katharina Schoop, Renate Schwob attend son procès devant la cour pénale du Tribunal fédéral.
2. Cette abstention a d'autres raisons encore : la Suisse est une société à deux vitesses — inégalitaire, souvent injuste, cruelle envers les pauvres. 557 000 personnes vivent au-dessous du minimum vital. Les personnes âgées (près d'un million) ne bénéficient que de rentes totalement insuffisantes. 0,5 % de la population possède plus de 50 % de la fortune imposée. Environ 80 % de toute la propriété immobilière est entre les mains de 9,8 % des habitants.

Beaucoup de Suisses regardaient avec une ardente espérance vers l'Europe : d'elle, ils attendaient les réformes sociales et politiques que le système helvétique est incapable d'entreprendre.

Juin 1989 : j'assiste aux élections européennes la rage au cœur. Sous mes yeux, l'Europe se construit, lentement, difficilement, mais sûrement. Elle reçoit aujourd'hui sa légitimité par le vote populaire. Une Europe unie, ancrée fermement sur le socle du suffrage universel, de la délégation, de la volonté générale... Mais la Suisse, patrie de Rousseau, n'y participe pas. L'Émirat helvétique refuse obstinément de se joindre à l'Europe. Je me sens pareil au nègre de la brousse : je suis les débats, les arguments, les joutes politiques, j'écoute, je vois... Je sais que mon destin se joue là, dans ces affrontements, ces débats. Et j'en suis exclu. Quelle absurdité !

La Confédération helvétique aura sept cents ans en 1991. Sur ses 42 275 kilomètres carrés de territoire national situés au cœur même du continent se pressent 6,8 millions de personnes. Un million sont des étrangers qui viennent du sud de l'Europe. Les 5,8 millions de Suisses, eux, appartiennent à quatre cultures européennes parmi les plus riches, les plus anciennes : la française, l'alémanique, l'italienne, la romanche. Quoi de plus « européen » dans sa composition, son histoire, sa localisation géographique, que cet étrange et mystérieux peuple des Suisses ?

Grâce à leur énorme pouvoir économique, à la colonisation du Parlement, grâce aussi à leur influence sur la presse, la télévision, les émirs sont les vrais maîtres du pays. A un

Conseil fédéral divisé et hésitant, à un Parlement indécis, ils ont imposé le refus de l'Europe. De par sa propre volonté et contre toute logique historique, culturelle, politique, géographique, la Suisse restera ainsi exclue de la CEE[1]. Les émirs craignent comme la peste toute législation, toute autorité supranationale. Une fiscalité européenne, une surveillance bancaire internationale, un contrôle efficace des trafics de drogue, des capitaux flottants, des opérations spéculatives? Ce serait la fin de l'Émirat. Les émirs de Zurich, Genève, Lugano n'étant pas suicidaires, la Suisse ne fera pas partie de l'Europe.

1. Comme de l'Organisation des Nations unies, d'ailleurs.

La révolte

Proclame la parole, interviens à temps et à contretemps, dénonce le mal, reproche, encourage, mais avec une grande patience et avec le souci constant d'instruire.
IIᵉ Épître de saint Paul à Timothée,
IV, 2 (Bible de Jérusalem).

Celui qui subit n'aime pas,
Aime celui qui conteste.

Celui qui a du miel sur les lèvres n'est pas bon.
Proverbes russes, cités par Soljenitsyne,
Discours de Stockholm, Éd. du Seuil, 1972.

Les agents de la mort ont profondément infiltré certaines sociétés démocratiques. Ce sont des ennemis de l'humanité, parmi les plus cyniques, les plus cruels que l'histoire ait connus. Les démocraties doivent les combattre par tous les moyens légaux à leur disposition. Il y va de leur survie. Ceux d'entre les émirs qui lavent, réinvestissent, font fructifier leur butin sont leurs complices. Il faut les combattre sans relâche eux aussi.

Une Suisse au-dessus de tout soupçon[1] a été publié pour la première fois le 2 avril 1976. Près de quatorze ans ont passé.

1. Jean Ziegler, *Une Suisse au-dessus de tout soupçon*, Paris, Éd. du Seuil, coll. « Combats », 1976 ; nouv. éd. coll. « Points Actuels », 1977.

En France, les rééditions se succèdent à un rythme régulier. Le livre a été traduit dans quinze pays étrangers. Certaines de ces éditions étrangères — notamment l'américaine, l'italienne et la japonaise — continuent à connaître le succès. Toutes éditions confondues, *Une Suisse au-dessus de tout soupçon* a, jusqu'ici, été diffusé à plusieurs centaines de milliers d'exemplaires.

Le livre était un réquisitoire contre la Suisse contemporaine, sa face cachée, son « impérialisme secondaire » dans les pays en voie de développement, les rouages de son gouvernement visible et ceux du pouvoir réel qu'il dissimule, son rôle de receleur des capitaux en fuite, de plaque tournante de l'activité des sociétés multinationales grâce aux admirables institutions que constituent le secret bancaire et le compte à numéro, le tout voilé dans les plis du drapeau de la Croix-Rouge et couvert par un discours de neutralité et de paix qui fait passer les seigneurs de la banque de Genève ou de Zurich pour de pieux et inoffensifs philanthropes.

En Suisse, une grande presse dite « d'information » excita les sentiments les plus troubles de mes compatriotes[1]. Durant deux ans, des menaces contre mes proches et moi-même m'imposèrent une protection policière intermittente et une constante prudence[2].

1. Dès sa parution, cette presse s'était donné une double mission : éviter tout débat public sur les thèses exposées dans le livre et « pathologiser » son auteur. Tardivement (printemps 1977), l'oligarchie bancaire changea de tactique. Elle fit éditer deux livres pour réfuter mon ouvrage : *Une Suisse insoupçonnée* (Éd. Buchet-Chastel), écrit par Victor Lasserre, rédacteur en chef de *L'Ordre professionnel*, organe officiel des syndicats patronaux de Genève ; et *Des professeurs répondent à Jean Ziegler*, édité par l'organisme de relations publiques du Vorort (le CNPF suisse), « Société pour le développement de l'économie », et écrit par les professeurs Gruner, Schaller et Kleinewerfers.
2. Deux livres témoignent de la répression subie, des menaces endurées : Marie-Madeleine Grounauer, *L'Affaire Ziegler. Le procès d'un héré-*

Le 8 octobre 1979, 130 000 citoyens déposèrent à la chancellerie fédérale une initiative constitutionnelle « contre l'abus du secret bancaire et de la puissance des banques ». La votation populaire eut lieu le 20 mai 1984. Résultat : l'initiative fut rejetée par 73 % de non[1].

Contre l'initiative, les émirs avaient mobilisé toutes leurs forces : investissant dans des campagnes de relations publiques une somme estimée à près de 20 millions de francs suisses, ils contestèrent chacun des reproches formulés par les promoteurs de l'initiative. L'afflux d'argent sale sur les comptes numérotés ? Vous n'y pensez pas ! Les capitaux en fuite en provenance du tiers monde ? Pure calomnie ! L'argent gris, produit de l'évasion fiscale des classes possédantes de France, d'Italie, d'Espagne ? Une invention communiste !

L'hypocrisie régnait en maître.

Or, en cinq ans, les émirs sont passés de l'hypocrisie au cynisme. Aujourd'hui, ils admettent sans difficulté qu'environ 500 milliards de francs suisses de valeurs en capital étranger se trouvent sur les comptes bancaires suisses (sans compter les valeurs en dépôt bancaire) et qu'une partie provient « probablement » de l'argent de la drogue. Ils défendent ouvertement Ferdinand Marcos, Duvalier et Mobutu ; veillent à la sauvegarde des avoirs du cartel de Medellin ; se battent bec et ongles contre le séquestre, la confiscation des milliards appartenant aux agents de la mort. Leur argument,

---

tique, Genève, Éd. Grounauer, 1977 ; Roman Brodmann, *Jean Ziegler, der Un-Schweizer*, Darmstadt, Verlag Luchterhand, 1979.

1. 100 000 citoyens peuvent exiger une révision partielle de la Constitution. L'article nouveau (ou modifié) qu'ils réclament est obligatoirement soumis au vote populaire ; l'article est accepté si une majorité des votants (et une majorité des cantons) optent en sa faveur.

aujourd'hui, est le suivant : en défendant nos clients, nous garantissons notre capacité concurrentielle face aux autres empires bancaires du monde.

Dans mon œuvre d'anthropologue, de sociologue, le présent livre — comme, d'ailleurs, *Une Suisse au-dessus de tout soupçon* — tient une place à part. Nés de la colère, ce sont des livres d'intervention, d'analyse, de dénonciation portant sur la société dans laquelle je vis, qui m'a produit et qui abrite mes espoirs. En démontant la chaîne qui mène à la mort, en dénonçant le processus qui, par comptes numérotés, Bourses, dictatures locales interposés, condamne à une existence subhumaine des millions d'hommes lointains, j'entends aussi collaborer à la libération du peuple suisse.

Que nombre d'émirs deviennent des laveurs cyniques, des receleurs de l'argent de la mort, ne m'étonne pas outre mesure. Cela s'explique par la totale amoralité qui caractérise un certain type d'activité bancaire. La maximalisation du profit, l'obsession maladive de l'accumulation sont des lois qui gouvernent le fonctionnement de cette gigantesque pompe d'argent sale qu'est devenu l'Émirat helvétique.

Mais comment une telle gangrène a-t-elle pu s'emparer de l'État ? Où se cache la blessure initiale qui, par infections successives, empoisonne les membres puis les organes vitaux ?

Première hypothèse : l'argent. Dans un pays où les flots d'argent sale s'engouffrent dans tous les recoins et canaux de la société civile, il serait étonnant que l'État soit épargné par la corruption.

La seconde hypothèse me glace le sang : et si l'efficace protection, les multiples faveurs dont jouissent certains parrains s'expliquaient par la menace physique, la violence ? Cette hypothèse est plausible.

Le samedi 16 septembre 1989, le parquet annonce l'inculpation imminente, dans l'affaire de la « Pesetas Connection », du chef du poste des douanes de Thônex, un village situé à la frontière du territoire genevois et de la Haute-Savoie. Le fonctionnaire est accusé de corruption passive : il aurait facilité le passage de la frontière à des membres de la bande recherchés par mandat international. Tremblante de peur, blême, pitoyable, la femme du douanier répond aux journalistes : non, son mari ne s'est jamais longuement absenté de la maison, c'est un homme solide, sérieux, sans la moindre passion. Cette femme tombe des nues ; elle ne comprend rien. Les enquêteurs constatent que la famille vit modestement. Seule hypothèse dans l'état actuel de l'enquête : le chef de poste a cédé à la menace.

Dans le cadre de la même enquête, le procureur bâlois Jörg Schild met le réseau sur table d'écoute. Après des mois de filatures, d'enquêtes internationales, de commissions rogatoires envoyées aux quatre coins de l'Europe, Schild arrête la bande[1]. Stupeur ! Les policiers découvrent, on l'a vu, que des membres du réseau possèdent la transcription exacte des bandes enregistrées par les PTT suisses. Comment les suspects ont-ils pu obtenir ces enregistrements ? Il n'y a que deux réponses possibles : par la corruption ou par la violence. Je privilégie la seconde explication.

Troisième exemple : deux des plus actifs, des plus dynamiques procureurs à avoir lutté sur le front de la drogue — Paolo Bernasconi, qui s'était attaqué à la « Pizza Connection » ; puis Dick Marty, vainqueur provisoire du réseau turco-libanais — abandonnèrent leurs fonctions à Lugano et à Bellinzona en pleine gloire. Ils quittèrent aussi la magistrature... Brusquement.

1. Cf. p. 158.

Nombre de parrains, dont les exploits sont décrits dans ce livre, ont mystérieusement disparu de Suisse avant leur arrestation et se trouvent en liberté quelque part en Europe. Ils n'ont certainement rien perdu, ni de leur immense fortune ni de leur pouvoir. Leurs lavoirs attitrés continuent de fonctionner normalement.

Les *sicarios* du cartel de Medellin ont l'habitude d'envoyer à leurs victimes potentielles la photo de leurs enfants, de leur épouse, accompagnée d'un petit cercueil. En Amérique latine, pratiquement personne ne résiste à un tel chantage ; pourquoi un fonctionnaire suisse y résisterait-il ? Contre le crime organisé, le citoyen ordinaire paraît impuissant.

Blaise Pascal : « L'homme est un néant, capable de Dieu. » Par Dieu, il faut entendre responsabilité, éveil, libre choix. Sommes-nous condamnés à accepter le monde tel qu'il est ? L'histoire est-elle dépourvue de sens ? La vie n'est-elle que cette « histoire contée par un idiot, pleine de fureur et de bruit et qui ne veut rien dire », comme le dit Macbeth ? Évidemment non. Nous sommes les uniques sujets de notre histoire. Tous les problèmes, toutes les contradictions évoqués dans ce livre peuvent être résolus par nous.

Aujourd'hui, à l'Est, les régimes totalitaires s'effondrent comme bâtisses vermoulues. Les peuples se soulèvent contre l'oppression, l'injustice, le mensonge. Le crime organisé qui infiltre certaines démocraties occidentales n'opprime pas les hommes. Il tend à les corrompre, à pourrir leurs institutions.

La révolte est-elle improbable en Suisse ? Je ne le crois pas. La force morale d'un peuple, sa capacité d'indignation, son désir d'être libre sont pareils au volcan Monotombo du Nica-

ragua : longtemps endormi, supportant comme par indifférence le poids des rocs qui l'étouffent, il se réveille
brusquement, projetant vers le ciel les flammes de son refus.

En Suisse, autant qu'ailleurs, le rêve d'un destin collectif
— digne, juste, libre — sommeille sous les cendres. Je ne
doute pas qu'un jour prochain la révolte lui donnera vie.

Shen Té, la « bonne âme » du Se-Tchouan, résume mon
propos :

> Oh, malheureux !
> On fait violence à votre frère, et vous fermez les yeux !
> Le blessé pousse un grand cri, et vous gardez le silence !
> La brute rôde et choisit sa victime
> Et vous dites : il nous épargne, car nous ne manifestons pas de
> mécontentement.
> Quelle est donc cette ville, quels gens êtes-vous donc ?
> Quand une injustice arrive dans une ville, il faut qu'il y ait une
> émeute
> Et là où il n'y a pas d'émeute, mieux vaut que la ville périsse
> Par le feu avant que la nuit tombe[1].

1. Bertolt Brecht, *La Bonne Ame du Se-Tchouan*, Paris, Éd. L'Arche, 1975 (trad. fr. par Jeanne Stern).

Table

COMPOSITION : IMPRIMERIE HÉRISSEY À ÉVREUX (EURE).
IMPRESSION : FIRMIN-DIDOT AU MESNIL-SUR-L'ESTRÉE (EURE).
DÉPÔT LÉGAL : FÉVRIER 1990. N° 11597-2 (14098)